REINHARD FRANZ SCHLOSSNIKEL

DER BRIEF AN DIE HEBRÄER UND DAS CORPUS PAULINUM

EINE LINGUISTISCHE „BRUCHSTELLE" IM CODEX CLAROMONTANUS (PARIS, BIBLIOTHÈQUE NATIONALE GREC 107 + 107 A + 107 B) UND IHRE BEDEUTUNG IM RAHMEN VON TEXT- UND KANONGESCHICHTE

VERLAG HERDER FREIBURG

REINHARD FRANZ SCHLOSSNIKEL

DER BRIEF AN DIE HEBRÄER UND DAS CORPUS PAULINUM

Eine linguistische „Bruchstelle" im Codex Claromontanus
(Paris, Bibliothèque Nationale grec 107 + 107 A + 107 B)
und ihre Bedeutung im Rahmen von Text- und Kanongeschichte

VETUS LATINA

DIE RESTE DER ALTLATEINISCHEN BIBEL

NACH PETRUS SABATIER
NEU GESAMMELT UND IN VERBINDUNG
MIT DER HEIDELBERGER AKADEMIE DER WISSENSCHAFTEN
HERAUSGEGEBEN VON DER ERZABTEI BEURON

AUS DER GESCHICHTE
DER LATEINISCHEN BIBEL

BEGRÜNDET VON BONIFATIUS FISCHER
HERAUSGEGEBEN VON HERMANN JOSEF FREDE

20

ISSN 0571-9070

VERLAG HERDER FREIBURG

REINHARD FRANZ SCHLOSSNIKEL

DER BRIEF AN DIE HEBRÄER UND DAS CORPUS PAULINUM

EINE LINGUISTISCHE „BRUCHSTELLE"
IM CODEX CLAROMONTANUS
(PARIS, BIBLIOTHÈQUE NATIONALE GREC
107 + 107 A + 107 B)
UND IHRE BEDEUTUNG IM RAHMEN VON
TEXT- UND KANONGESCHICHTE

1991
VERLAG HERDER FREIBURG

Für Irmgard

VORWORT

Diese Untersuchung zu einem wichtigen lateinischen Bibeltext wurde im Sommersemester 1989 als Dissertation zur Erlangung des Dr. theol. an der Katholisch-Theologischen Fakultät der Universität zu Tübingen eingereicht. Den Herren Professoren Dr. Dr. h.c. Hermann Josef Frede und Dr. Hermann Josef Vogt danke ich für ihre Bereitschaft, sich als Gutachter mit dieser Arbeit auseinanderzusetzen. Dank auch Herrn Professor Dr. Gerhard Lohfink, der die Promotion in der Fakultät auf den Weg gebracht hat.

Die vorliegende Arbeit ist ein Resultat meiner vierjährigen Tätigkeit am Vetus Latina Institut der Erzabtei Beuron. Es ist mir deshalb ein Anliegen, an dieser Stelle Herrn Professor Frede als dem Wissenschaftlichen Leiter des Instituts auch dafür zu danken, daß er — neben seiner Arbeit oft an mehreren Werken zur gleichen Zeit — über all die Jahre hinweg stets auch Zeit gefunden hat, die Entstehung der Dissertation umfassend zu betreuen. Ohne seine ständige Ermutigung, sein immenses Fachwissen und seine Fähigkeit, komplexe textgeschichtliche Sachverhalte klar darzulegen, wäre dieses Buch wohl nicht zustande gekommen. Ihm ist es auch zu verdanken, daß es in der Reihe „Aus der Geschichte der lateinischen Bibel" erscheinen kann.

Einschließen in diesen Dank möchte ich alle Mitarbeiter im Vetus Latina Institut, vor allem Professor Dr. Walter Thiele, der immer zu fachlichem Rat bereit war. Ursprünglich sollte diese Arbeit den Beginn einer eigenverantwortlichen Tätigkeit im Vetus Latina Institut markieren. Auch wenn haushaltstechnische Gründe diese Entwicklung verhindert haben, so war die Zeit in Beuron doch ein wichtiger Lebensabschnitt. Es ist wohl ein seltener Glücksfall, zwei Wissenschaftler dieses Rangs bei ihrer Tagesarbeit zu erleben, von ihnen in die Methoden altlateinischer Textkritik eingeführt zu werden und davon auch in einer Dissertation profitieren zu dürfen. Ich hoffe, daß die vorliegende Untersuchung ein wenig davon weitervermitteln kann.

Mutlangen, im Mai 1991   Reinhard Franz Schlossnikel

VERZEICHNIS DER ABKÜRZUNGEN UND SIGEL

Biblische Bücher und Gruppierungen

AT: Gn, Ex, Lv, Nm, Dt, Jos, Jdc, Ru, 1—4 Rg, 1—2 Par, Esr, Ne, Tb, Jdt, Est, Jb, Ps, Prv, Ecl, Ct, Sap, Sir, Is, Jr, Lam, Bar, Ez, Dn, Os, Jl, Am, Abd, Jon, Mi, Na, Hab, So, Agg, Za, Mal, 1—2 Mcc

NT: Mt, Mc, Lc, Jo, Act
(Pls:) Rm, 1—2 Cor, Gal, Eph, Phil, Col, 1—2 Th, 1—2 Tm, Tt, Phlm
Hbr
(Cath:) Jac, 1—2 Pt, 1—3 Jo, Jud
Apc
Laod

Texttypen

Texttypen sind — abgesehen von einigen wenigen Ausnahmen (**K** ≙ der alte afrikanische Text Cyprians, **A** ≙ der Text Augustins) — mehr oder weniger werkspezifisch: die Sigel werden daher, falls notwendig, an Ort und Stelle kurz erläutert. Die umfassenden Informationen sind bequem in den Einleitungen zu den Vetus Latina-Ausgaben der jeweils betreffenden biblischen Bücher zu erhalten.

Grundsätzlich werden andere Sigel (Schäfer δ, ρ) mit den Beuronern (**fettgedruckt**) wiedergegeben, soweit dies von ihrem Definitionsbereich her vertretbar ist.

Handschriften

a) lateinische Bibelhandschriften:

Die Bezeichnung der Handschriften orientiert sich grundsätzlich an den Editionsprinzipien der Vetus Latina-Ausgabe. Die Sigel der Vulgatahandschriften sind − soweit dies möglich war − im AT und NT den entsprechenden Einleitungen der Vetus Latina-Ausgaben entnommen[1]; die übrigen stammen für das AT aus der Römischen Vulgata[2]. Für das NT ist es nicht notwendig, die Bezeichnungen der Oxforder Vulgata[3] zu verwenden, sie sind aber zusätzlich aufgeführt.

Die altlateinischen Handschriften werden nach der Sigelliste[4] bezeichnet und beschrieben, allerdings sind die Aktualisierungen in den Einleitungen der Ausgaben von Fischer, Thiele, Frede und Gryson mit berücksichtigt.

[1] Fischer, Bonifatius, Genesis, = Vetus Latina. Die Reste der altlateinischen Bibel nach Petrus Sabatier neu gesammelt und herausgegeben von der Erzabtei Beuron 2, Freiburg 1951−1954. Frede, Hermann Josef, Epistula ad Ephesios, = Vetus Latina. Die Reste... 24/1, Freiburg 1962−1964. Ders., Epistulae ad Philippenses et ad Colossenses, = Vetus Latina. Die Reste... 24/2, Freiburg 1966−1971. Ders., Epistulae ad Thessalonicenses, Timotheum, Titum, Philemonem, Hebraeos, = Vetus Latina. Die Reste... 25. Pars I: Epistulae ad Thessalonicenses, Timotheum, Freiburg 1975−1982, Pars II: Epistulae ad Titum, Philemonem, Hebraeos, Freiburg 1983 ff. Gryson, Roger, Esaias, = Vetus Latina. Die Reste... 12, Freiburg 1987 ff. Thiele, Walter, Epistulae Catholicae, = Vetus Latina. Die Reste... 26/1, Freiburg 1956−1969. Ders., Sapientia Salomonis, = Vetus Latina. Die Reste... 11/1, Freiburg 1977−1985. Ders., Sirach (Ecclesiasticus), = Vetus Latina. Die Reste... 11/2, Freiburg 1987 ff.

[2] Biblia Sacra iuxta Latinam Vulgatam Versionem ad Codicum Fidem, Rom 1926 (Gn), 1929 (Ex/Lv), 1936 (Nm/Dt), 1939 (Jos/Jdc/Ru), 1944 (1−2 Rg), 1945 (3−4 Rg), 1948 (1−2 Par), 1950 (Esr/Tb/Jdt), 1951 (Est/Jb), 1953 (Ps), 1957 (Prv/Ecl/Ct), 1964 (Sap/Sir), 1969 (Is), 1972 (Jr/Lam/ Bar), 1978 (Ez), 1981 (Dn), 1987 (Zwölfprophetenbuch).

[3] Wordsworth, John, White, Henry Julian, Novum Testamentum Iesu Christi Latine secundum Editionem Sancti Hieronymi, Pars Secunda (Paulus, sieben Faszikel); ab Faszikel fünf (Phil noch mit White, Col − 1 Tm dann nur noch allein:) Hedley Frederic Davis Sparks; ab Faszikel sechs Mitarbeiter Claude Jenkins, Oxford 1913, 1922, 1926, 1934, 1937, 1939, 1941. Gesamtwerk: 1889−1954. Vgl. Fischer, Bonifatius, Der Vulgatatext des Neuen Testaments, in: Zeitschrift für die neutestamentliche Wissenschaft 46 (1955) 178−196; wiederabgedruckt in: Bonifatius Fischer, Beiträge zur Geschichte der lateinischen Bibeltexte, = Vetus Latina. Aus der Geschichte der lateinischen Bibel 12, Freiburg 1986, 51−73; vor allem: 60 f.

[4] Fischer, Bonifatius, Verzeichnis der Sigel für Handschriften und Kirchenschriftsteller, = Vetus Latina. Die Reste der altlateinischen Bibel nach Petrus Sabatier neu gesammelt und herausgegeben von der Erzabtei Beuron 1, Freiburg 1949.

In der nachstehenden Auflistung sind neben der Bibliothekssignatur und
der Datierung noch weitere Bezeichnungen der Handschriften angegeben.

1   k   *Bobiensis* (4.–5. Jh)
    Torino, Biblioteca Universitaria Nazionale G. VII. 15

2   e   *Palatinus* (5. Jh)
    Trento, Museo Nazionale s.n. + Dublin, Trinity College 1709 (N. 4. 18) (Mt
    13,12–23) + London, British Library Additional 40107 (Mt 14,11–22)

3   a   *Vercellensis* (5. Jh)
    Vercelli, Biblioteca Capitolare s.n.

4   b   *Veronensis* (5. Jh)
    Verona, Biblioteca Capitolare VI (6)

5   d   *Bezae Cantabrigiensis* (5. Jh)
    Cambridge, University Library Nn. 2. 41

6   c   *Colbertinus* (12. Jh)
    Paris, Bibliothèque Nationale lat. 254

8   ff² *Corbeiensis* (5. Jh)
    Paris, Bibliothèque Nationale lat. 17225

9   ff¹ *Corbeiensis* (10. Jh)
    St. Petersburg, Öffentliche M.E. Saltykow-Schtschedrin-Staatsbibliothek O.v. I,3

10 f   *Brixianus* (6. Jh)
    Brescia, Biblioteca civica Queriniana s.n.

11 l   *Rehdigeranus* (8. Jh)
    Berlin, Staatsbibliothek Preußischer Kulturbesitz, Depot Breslau 5 (Rehd. 169)

12 h   *Claromontanus* (5. Jh)
    Roma, Biblioteca Apostolica Vaticana cod. Vatic. lat. 7223 fol. 1–66

13 q   *Monacensis, Frisingensis* (7. Jh)
    München, Bayerische Staatsbibliothek clm 6224

14 r¹, r *Usserianus* I (7. Jh)
    Dublin, Trinity College 55 (A.4.15)

15 aur *Aureus Holmiensis* (7. Jh)
    Stockholm, Kungliga Biblioteket

16 n   *Sangallensis* (5. Jh)
    Sankt Gallen, Stiftsbibliothek 1394 II p. 50–89 + Stiftsbibliothek 172 p. 256 +
    Vadiana 70 (1,5 Blätter) + Chur, Rhätisches Museum (a²) + Sankt Gallen, Stiftsbiblio-
    thek 1394 III p. 91–92 (o)

17 i   *Vindobonensis* (5. Jh)
    Napoli, Biblioteca Nazionale cod. lat. 3

26 St. Paul im Lavanttal, Stiftsbibliothek 25. 3. 19 (XXV a. 1) Vorsatzblätter (7. Jh)

27   St. Gallen, Stiftsbibliothek cod. 48 (9. Jh)

28   r²   *Usserianus 2, Garland of Howth* (8.–9. Jh)
     Dublin, Trinity College 56 (A. 4. 6)

30   gat (8. Jh)
     Paris, Bibliothèque Nationale nouveau acquisition lat. 1587

50   e   *Laudianus* (6. Jh)
     Oxford, Bodleian Library cod. Laud. Gr. 35 (1119)

51   g, gig   *Gigas Librorum* (13. Jh)
     Stockholm, Kungliga Bibliuteket

53   s   *Bobiensis, Vindobonensis* (6. Jh)
     Neapel, Biblioteca Nazionale cod. lat. 2 fol. 42*, 43–56, 71–75 Palimpsest

54   Paris, Bibliothèque Nationale lat. 321 (12. Jh)

55   h   *Palimpsestum Floriacense* (5. Jh)
     Paris, Bibliothèque Nationale lat. 6400 G Palimpsest

61   D   *Book of Armagh* (9. Jh)
     Dublin, Trinity College 52

64   *Freisinger Fragmente* (7. Jh)
     München, Bayerische Staatsbibliothek clm 6436 + Leimabdrücke in clm 6230 +
     Universitätsbibliothek 4⁰ 928 frg. 1–2 (als clm 6436,20 Blatt 1–2 aufbewahrt) +
     Göttweig, Stiftsbibliothek S.N. + S.N. (a) (früher 1 (9) fol. 23–24)

65   siehe Zᴴ

75   d   *Codex Claromontanus* (5. Jh)
     Paris, Bibliothèque Nationale grec 107 + 107 A + 107 B

76   e   *Codex Sangermanensis* (9. Jh)
     St. Petersburg, Öffentliche M.E. Saltykow-Schtschedrin-Staatsbibliothek F.v.XX Graeco-
     Latinus

77   g   *Codex Boernerianus* (9. Jh)
     Dresden, Sächsische Landesbibliothek A. 145b

78   f   *Codex Augiensis* (9. Jh)
     Cambridge, Trinity College B. 17. 1

81   (8.–9. Jh)
     Paris, Bibliothèque Nationale lat. 653 fol. 289V – 292V

82   München, Bayerische Staatsbibliothek clm 29270/6, früher 29055a (9. Jh)

83   Marburg, Hessisches Staatsarchiv Best. 147 + Mengeringhausen/Waldeck, Stadtarchiv
     (10. Jh)

86   Monza, Biblioteca Capitolare i–2/9 (10. Jh)

89   Budapest, Ungarisches Nationalmuseum Clmae 1 (8.–9. Jh)

91   *Codex Gothicus Legionensis* (10. Jh)
     Lèon, Real Colegiata de San Isidoro 2 Randglossen

93   Roma, Biblioteca Apostolica Vaticana cod. Vatic. lat. 4859 Randglossen; Abschrift von
     91 (16. Jh)

94   Escorial, Biblioteca de San Lorenzo 54.V.35 Randglossen (10. Jh)

95   Madrid, Academia de la Historia Aemiliana 2–3 Randglossen (12. Jh)

100 *Lugdunensis* (7. Jh)
     Lyon, Bibliothèque Municipale 403 (329) + 1964 (1840)

101 *Vindobonensis* (5. Jh)
     Napoli, Biblioteca Nazionale cod. lat. 1 fol. 11–16 19 22 27–30 36–37 41–43
     45–48 50–52 Palimpsest

102 *Ottobonianus* (7.–8. Jh)
     Roma, Biblioteca Apostolica Vaticana cod. Ottob. lat. 66

103 *Wirceburgensis* (5. Jh)
     Würzburg, Universitätsbibliothek Mp. th. f. 64a p. 21–28 67–82 133–168
     177–180 269–276 281–294 Palimpsest

104 *Monacensis* (5. Jh)
     München, Bayerische Staatsbibliothek clm 6225 Palimpsest

109 siehe X

115 *Vindobonensis* (5. Jh)
     Napoli, Biblioteca Nazionale cod. lat. 1 fol. 1–10 17 18 29 21 23–26 31–35
     38–40 44 49 Palimpsest

130 München, Bayerische Staatsbibliothek clm 6239 (8.–9. Jh)

148 Paris, Bibliothèque Nationale lat. 93 (zusammen mit lat. 45 die fälschlicherweise so
     genannte „Bibel von Saint Riquier") (9. Jh)

150 Paris, Bibliothèque Nationale lat. 11505 (9. Jh)

165 *Codex Vindobonensis* (6. Jh)
     Wien, Österreichische Nationalbibliothek lat. 954 Palimpsest

176 *Fragmenta Sangallensia* (9.–10. Jh)
     Sankt Gallen, Stiftsbibliothek 1398 b p. 126–175 + Zürich, Zentralbibliothek C. 184
     (398) frg. 23 und 24

300 R   (6.–7. Jh)
     Verona, Biblioteca Capitolare I (1)

400 Milano, Biblioteca Capitolare 4⁰, 6 (11. Jh)

401 Milano, Biblioteca Capitolare Beroldus Novus (13. Jh)

402 Milano, Biblioteca Ambrosiana A. 189 sup. (12. Jh)

410 Madrid, Biblioteca Nacional 10001 (Vitr. 5,1) (9.–10. Jh)

411 London, British Library Additional 30851 (10.–11. Jh)

C   *Codex Cavensis* (9. Jh)
     La Cava dei Tirreni, Archivio della Badia della SS. Trinità 1 (14)

F   *Codex Fuldensis* (6. Jh)
     Fulda, Hessische Landesbibliothek Bonifatianus 1

H   München, Bayerische Staatsbibliothek clm 9544 (9. Jh)

L   Paris, Bibliothèque Nationale lat. 335 (9.–10. Jh)

M   München, Bayerische Staatsbibliothek clm 6229 (8. Jh)

R   Roma, Biblioteca Apostolica Vatic. Regin. lat 9 (8. Jh)

S   Sankt Gallen, Stiftsbibliothek 40 (8. Jh)

T   Tours, Bibliothèque Municipale 10 (8. Jh)

U   Autun, Bibliothèque Municipale 2 (S. 1) (8. Jh)

X   Madrid, Biblioteca de la Universidad Central 31 (10. Jh); im Hbr-Teil bietet die
     Handschrift einen altlateinischen Text, der weitgehend mit 89 übereinstimmt und mit dem
     Sigel 109 bezeichnet wird.

Γ^B *Bibel von Bobbio* (9. Jh)
     Milano, Biblioteca Ambrosiana E. 26 inf.

Z^H London, British Library Harley 1772 (8.–9. Jh)
     Hbr 10–13 bietet als Ersatz für verlorene Blätter einen altlateinischen, aber stark mit
     Vulgata überarbeiteten Text, der das Sigel 65 trägt.

Z^M Metz, Bibliothèque Municipale 7 (8.–9. Jh)

Θ^G Paris, Bibliothèque Nationale lat. 11937 (8.–9. Jh)

Θ^K Kopenhagen, Kongelige Bibliotek Ny Kgl. Samling I (8.–9. Jh)

Θ^S Stuttgart, Württembergische Landesbibliothek HB. II,16 (8. Jh)

N^W Berlin, Stiftung Preußischer Kulturbesitz, Staatsbibliothek theol. lat. fol. 366 (9. Jh)

Σ^T Madrid, Biblioteca Nacional Vitr. 13–1 (Tol. 2–1) (10. Jh)

μ^B Bergamo, Biblioteca di San Alessandro in Colonna 242 (9. Jh)

μ^A Milano, Biblioteca Ambrosiana A. 24 bis inf. (9. Jh)

ρ^S Sankt Gallen, Stiftsbibliothek 365 (9. Jh)

ρ^P Paris, Bibliothèque Nationale lat. 9451 (8.–9. Jh)

τ^{56} *t*   Liber commicus (11. Jh)
     Paris, Bibliothèque Nationale nouv. acq. lat. 2171

τ^{70} Madrid, Academia de la Historia Aemiliana 22 (11. Jh)

Basel, Universitätsbibliothek A. VII. 3 (9. Jh)

Bern, Burgerbibliothek A.9 (Bibel von Vienne) (10. Jh)

Laon, Bibliothèque Municipale 252 (10.–11. Jh)

Leningrad, Öffentliche M.E. Saltykow-Schtschedrin-Staatsbibliothek F.v. I,12 (8.-9. Jh)

Leningrad, Öffentliche M.E. Saltykow-Schtschedrin-Staatsbibliothek F.v. VI,3 (8.–9. Jh)

München, Bayerische Staatsbibliothek clm 9545 (10. Jh)

Sankt Gallen, Stiftsbibliothek 48 (9. Jh)

Verona, Biblioteca Capitolare LXXXII (77) (9. Jh)

b) griechische Bibelhandschriften:

Griechische Handschriften werden bezeichnet nach dem System von Gregory, das zugänglich ist über:

Aland, Kurt, Kurzgefaßte Liste der griechischen Handschriften des Neuen Testaments; I. Gesamtübersicht, = Arbeiten zur neutestamentlichen Textforschung 1, Berlin 1963

Aus satztechnischen Gründen heraus wird der Codex Sinaiticus nicht − wie gewohnt − mit dem hebräischen „Aleph" abgekürzt, sondern mit *Sin.*

Kirchenväter

Für die Kirchenväter genügt es an dieser Stelle vollkommen, auf die Sigelliste von Hermann Josef Frede[5] zu verweisen.

---

[5] Frede, Hermann Josef, Kirchenschriftsteller. Verzeichnis und Sigel (3., neubearbeitete und erweiterte Auflage des „Verzeichnis der Sigel für Kirchenschriftsteller" von Bonifatius Fischer), = Vetus Latina. Die Reste der altlateinischen Bibel nach Petrus Sabatier neu gesammelt und herausgegeben von der Erzabtei Beuron 1/1, Freiburg 1981. Ders., Kirchenschriftsteller. Aktualisierungsheft 1984, = Vetus Latina. Die Reste der altlateinischen Bibel nach Petrus Sabatier neu gesammelt und herausgegeben von der Erzabtei Beuron 1/1 A, Freiburg 1984. Ders., Kirchenschriftsteller. Aktualisierungsheft 1988, = Vetus Latina. Die Reste der altlateinischen Bibel nach Petrus Sabatier neu gesammelt und herausgegeben von der Erzabtei Beuron 1/1 B, Freiburg 1988.

EINLEITUNG

Anstoß

Seit im Vetus Latina Institut die Edition des Hbr in Angriff genommen worden ist, hat sich das Interesse an Fragen zu diesem Brief gesteigert: verbunden mit der Textherstellung sind auch text- und kanongeschichtliche Probleme ins Blickfeld gerückt.

Ausgangspunkt der vorliegenden Untersuchung ist eine kleine Notiz, die E. A. Lowe[6] einer Äußerung von A. C. Clark widmete: *„That the Claromontanus has a composite character is sufficiently proved by the text of the Epistle to the Hebrews, which, Professor Clark tells me, is linguistically quite unlike the rest of the Epistles"*[7].

Der Codex Claromontanus der Paulusbriefe liegt heute unter der Signatur Grec 107 (107 A; 107 B)[8] in der Nationalbibliothek zu Paris.

Der Genfer Theologe Theodor Beza (Theodore de Bèze) entdeckte die Handschrift vor 1582. Noch vor dem Jahre 1605 ging sie in den Besitz von Claude Dupuy über, der sie an seine Söhne, Bibliothekare an der Königlichen Bibliothek zu Paris, weitergab[9]. Vor dem Tod von Jacques Dupuys (1656) erhielt der Claromontanus in der Königlichen Bibliothek Ludwig XIV. seinen endgültigen Standort[10].

Das heute noch gebräuchliche Sigel „D" bekam die Handschrift von Wettstein, der sie 1751/52 zweimal kollationierte bzw. verglich[11]. Zum damaligen Zeitpunkt fehlten allerdings

---

6 Lowe, E.A., Some Facts about Our Oldest Manuscripts; in: Classical Quarterly 19 (1925) 197–208, hier: 204.

7 Die Hervorhebungen stammen von mir und weisen auf die Schwerpunkte der vorliegenden Untersuchung hin.

8 Zu den Signaturen vgl. auch unten die weitere Geschichte der Handschrift.

9 Tischendorf, Constantin, Codex Claromontanus sive epistulae Pauli omnes graece et latine, Leipzig 1852, hier: XXVIII.

10 Vgl. ebenda XXVIII.

11 Wettstein, Jacobus, Novum Testamentum Graecum; Tomus II, Graz 1962 = unveränderter Nachdruck der 1752 bei Dommerian in Amsterdam erschienenen Ausgabe ('H KAINH ΔIAΘHKH Novum Testamentum Graecum).

35 Blätter aufgrund eines Diebstahls[12]: Der Holländer Jean Aymont[13] hatte im Jahre 1707 diese Folien entwendet und veräußert[14]. Sie kamen zum größten Teil in den Besitz von Harley, dessen Sohn sie 1729 der Königlichen Bibliothek zurückerstattete[15]. Diese Blätter sind heute unter der Signatur 107 A katalogisiert.

Die einzige diplomatische Ausgabe der Handschrift veranstaltete Constantin Tischendorf[16]. Wichtig ist über die Zuverlässigkeit hinaus vor allem die Deutlichkeit, mit der er − in der Nachfolge von Griesbach − die Arbeit der einzelnen Korrektoren in einem Anhang aufschlüsselte. Abgesehen von Unsicherheiten und Fehlschlüssen in der Datierung[17] der einzelnen Hände hat deren Einteilung ihre Gültigkeit nicht verloren.

Bereits zu Zeiten ihrer Entstehung war die Ausgabe vor allem aufgrund ihrer aufwendigen Ausstattung und des damit verbundenen hohen Preises nur eine wenig genutzte Möglichkeit, Zugang zum Text des Claromontanus zu gewinnen. Die Ausgabe von Wettstein wurde ihr vorgezogen, soweit es den griechischen Text betraf.

Der lateinische Text der Handschrift ist mit Hilfe von Wordsworth-White gut zu erheben, der griechische den Ausgaben von Tischendorf, von Soden oder Nestle zu entnehmen[18].

Das folgende Referat bezieht sich nur insofern auf das Thema der Untersuchung, als es eine Zusammenfassung der wichtigsten Ergebnisse liefert, die die bisherige Arbeit am Claromontanus gezeitigt hat:

Weder vor noch nach der Erwähnung bei Lowe stand die Frage nach der linguistischen Verschiedenheit und des „composite character" zur Diskussion.

[12] Sie wurden später nachkollationiert: vgl. Tischendorf Codex XXX.

[13] Zur Person vgl. ebenda XXVIII.

[14] Foll. 146−150 173 174 178 179 205 206 332−338 357 358 384 385 449−461 (vgl. Lowe, E.A., Codices Latini Antiquiores. A palaeographical Guide to latin manuscripts prior to the ninth century; part 5, France: Paris, Oxford 1950, hier: Nr. 521.).

[15] 34 Blätter; das restliche Blatt wurde von Stosch bereits 1720 zurückgegeben: vgl. Tischendorf Codex XXIX.

[16] Ebenda. Die Ausgabe erschien 1851, auf dem Titelblatt ist 1852 angegeben. Die Mühe, die er sich mit dieser Handschrift gab, rechtfertigt schon allein das Vertrauen, das man ihrem Text entgegenbringen kann: 1840 schrieb er sie zum erstenmal ab; 1841 kam dieses Manuskript allerdings nicht zum Druck, Tischendorf nutzte die Zeit dazu, die Korrekturen nochmals präzise zu kontrollieren und verbesserte sie sogar 1850 ein weiteres Mal vor Ort. Außerdem hatte Tregelles bereits die Handschrift mit den Korrekturen von Tischendorf verglichen und diesem seine eigenen Notizen zur Verfügung gestellt. Zuletzt wurden noch verdächtig scheinende Varianten von Carl Hase und Friedrich Dubner kontrolliert (vgl. Gregory, Caspar René, Textkritik des Neuen Testamentes, Leipzig 1909; 105−109; 611, hier: 108 f). Vgl. zur Verläßlichkeit auch Frede, Hermann Josef, Altlateinische Paulushandschriften, = Vetus Latina. Aus der Geschichte der lateinischen Bibel 4, Freiburg 1964; hier: 33. Als „zuverlässig" bewertet auch Schäfer, Karl Theodor, Untersuchungen zur Geschichte der lateinischen Übersetzung des Hebräerbriefs, Römische Quartalschrift 23. Supplementheft, Freiburg/Breisgau 1929; hier: 10 die Ausgabe.

[17] Vgl. etwa Frede Pls 23.

[18] Tischendorf, Constantin, Novum Testamentum Graece, Leipzig [8]1872. Soden, Hermann von, Die Schriften des Neuen Testaments; 2. Teil: Text mit Apparat, Göttingen 1913. Novum Testamentum Graece post Eberhard Nestle communiter ediderunt Kurt Aland, Matthew Black, Carlo M. Martini, Bruce M. Metzger, Allen Wikgren, Stuttgart 1979.

Zumindest konnte sie in den einschlägigen Monographien über die Handschrift und den Hbr ausgeklammert werden; sie fiel gewissermaßen in eine Lücke zwischen den einzelnen Forschungsbereichen und Themen zu Handschrift und Brief.

Der folgende Überblick der Geschichte der Handschrift seit ihrer Wiederentdeckung durch Theodor Beza kann daher kein eigentlicher „status quaestionis" sein. Vielmehr verfolge ich damit die Absicht, den Umfang dieser Lücke zu skizzieren.

Rezeptionsgeschichte

Seit Beza, der als erster die Handschrift für eine Bibelausgabe verwendete und damit gleichzeitig von ihrer Existenz Kenntnis gab, nämlich für die zweite Ausgabe seines griechisch-lateinischen NT von 1582[19], ist sie bis heute für jede wichtige Ausgabe eines NT herangezogen worden. Die einzelnen Herausgeber zu nennen halte ich im Rahmen dieser Arbeit ebensowenig für wesentlich, wie die Kollationen aufzuzählen, die für solche Editionen angefertigt wurden[20]. Ebenfalls schon seit Beza tauchte immer wieder die irrige Meinung auf, unsere Handschrift sei der zweite Teil des Cantabrigiensis der Evangelien und der Apostelgeschichte[21].

Die erste *theoretische* Beschäftigung zumindest mit dem griechischen Text liegt uns bereits bei Richard Simon vor[22]; er erkannte zwar den engen Zusammenhang von Claromontanus D (von ihm aufgrund des Standortes als „Reginensis" bezeichnet) und dem Sangermanensis E, betrachtete allerdings den Claromontanus als die Abschrift, da der Sangermanensis auf ihn den besseren äußeren Eindruck machte[23].

Pierre Sabatier war es, der sich im Rahmen seiner Sammlung altlateinischer Texte als erster explizit den lateinischen Text der Handschrift vornahm[24]; er erhoffte sich von den altlateinischen Texten wohl zweierlei: einmal eine Hilfe zur Wiederherstellung des ursprünglichen Wortlauts der Bibel[25], zum zweiten aber wollte er, der gegen Bianchini für die ursprüngliche Einheit der

[19] Diese ist gleichzeitig die dritte seiner Ausgaben des lateinischen Textes: vgl. Gregory Textkritik 935.

[20] Ich stütze mich in diesem Abschnitt vor allem auf den historischen Überblick, den Gregory Textkritik 107 f gibt. Vgl. auch Tischendorf Codex XXVII–XXIX über die einzelnen Besitzer der Handschrift und ebenda XXIX–XXXV über die Kollationen.

[21] Beza datiert sie auch gleich wie den ebenfalls von ihm ans Licht gehobenen Cantabrigiensis.

[22] Simon, Richard, Histoire critique du texte du Nouveau Testament, Rotterdam 1689, ders., Histoire critique des principaux commentateurs du nouveau testament, Rotterdam 1693. Vgl. das Urteil von Gregory Textkritik 944: „Vater der geschichtlichen Kritik".

[23] Simon Text 377 f.

[24] Sabatier, Pierre, Bibliorum Sacrorum Latinae Versiones Antiquae seu Vetus Italica et Caeterae quaecumque in Codicibus mss. et antiquorum libris reperiri potuerunt; Tomus Tertius, Pars Secunda, Paris 1751. Diese angebliche Neuauflage ist mit der Ausgabe von 1743 identisch, nur die Titelblätter wurden ausgewechselt: vgl. Frede 1/1 9.

[25] Vgl. Schäfer, Karl Theodor, Die altlateinische Bibel, Bonner Akademische Reden 17, Bonn 1957; hier: 26.

lateinischen Übersetzung eintrat[26], den „Vetus Italica"-Text rekonstruieren[27]: er druckte den Text von 76 ab – den er, eventuell da er ihn leichter erreichen konnte[28], 75 vorzog. Mit 75 füllte er vor allem die Lücken von 76[29].

Constantin Tischendorf hob in seiner Ausgabe des Claromontanus zwar auf Differenzen zwischen Pls und Hbr ab, beschränkte sich aber ganz auf die Beschreibung äußerer Phänomene.

Nach Sabatier und Tischendorf begann Ende des neunzehnten Jahrhunderts eine Hochblüte der Beschäftigung mit den zweisprachigen Paulushandschriften:

Peter Corssen faßte vor allem die griechische Seite der Paulus-Bilinguen DFG in den Blick; die grundsätzliche Gültigkeit des von ihm dargestellten Modells ist akzeptiert: F und G stammen von einer zwar nicht erhaltenen, über weite Strecken aber rekonstruierbaren Bilingue X ab, die wiederum zusammen mit D auf einen zweisprachigen Archetyp Z zurückgeht[30]. Auf die Lateiner achtete Corssen weniger, von einer linguistischen Differenz zwischen Pls und Hbr sagte er nichts.

Die Publikation der Freisinger Fragmente (VL 64) und die Feststellung ihrer engen Verwandtschaft mit den Zitaten Augustins[31] veränderte den Bildausschnitt der Textgeschichte: 75 und die anderen Bilinguen wurden zu einem Texttyp neben dem Text Augustins (≙ A VL) und der Vulgata.

Gleichzeitig beobachten wir, daß zunehmend nur einzelne Briefe untersucht werden: Zunächst ist dabei Friedrich Zimmer zu nennen, der die altlateinischen Texte des Gal nach Textformen gruppiert herausgab[32], und bei diesem Vorgehen unser Problem nicht sehen konnte. Er trennte drei vorhieronymianische Textformen[33]: ausgehend von einer Urübersetzung[34] postulierte er die drei Textformen „Princeps" (= der Text von TE CY), „Communis", zu der auch D zu rechnen

---

[26] Vgl. Corssen, Peter, Bericht über die lateinischen Bibelübersetzungen, Leipzig o.J. (= 1899); hier: 4, vgl. Schäfer Hbr 2.

[27] Sabatier a.a.O. 592.

[28] Frede Pls 35. Von Sabatier wurden beide Handschriften außerordentlich hoch geschätzt: „prae caeteris famosi et insignes" (a.a.O. 591).

[29] Sabatier a.a.O. 591.

[30] Corssen, Peter, Epistularum Paulinarum codices graece et latine scripti Augiensis Boernerianus Claromontanus; Specimen primum; Programm des Gymnasiums Jever, Kiel 1887. Ders., Epistularum Paulinarum codices graece et latine scripti Augiensis Boernerianus Claromontanus; Specimen alterum; Programm des Gymnasiums Jever, Kiel 1889; gegen diese Sicht meldete Friedrich Zimmer, der zunächst in dem Aufsatz: Der Codex Augiensis (F[Paul]), eine Abschrift des Boernerianus (G[Paul]), in: Zeitschrift für wissenschaftliche Theologie 30 (1887) 76−91 eine andere Position schon entworfen hatte, Protest an und zwar in einer Rezension der Programme Corssens in: Theologische Literaturzeitung 15 (1890) 59−62, auf die wiederum Corssen in dem Aufsatz: Zur Überlieferungsgeschichte des Römerbriefes, in: Zeitschrift für die neutestamentliche Wissenschaft 10 (1909) 1−45. 97−102 antwortete.

[31] Ziegler, Leo, Italafragmente der paulinischen Briefe, Marburg 1876.

[32] Zimmer, Friedrich, Der Galaterbrief im altlateinischen Text, Theologische Studien und Skizzen aus Ostpreußen 1, Königsberg 1887; ders., Ein Blick in die Entwicklungsgeschichte der Itala, in: Theologische Studien und Kritiken (1889) 331−355 stellt die Theorie der Texttypen nochmals kurz zusammen. Schon vorher hatte sich Corssen, Peter, Epistulam ad Galatas ad fidem optimorum codicum Vulgatae recognovit, prolegomenis instruxit, Vulgatam cum antiquioribus versionibus comparavit ... , Berlin 1885 mit diesem Brief beschäftigt.

[33] Zimmer Gal 1.

[34] Ders. Itala 354.

ist, und die „Itala Augustins"[35]. Ihm nächst dann Adolf von Harnack, der als erster den Hebräerbrief monographisch behandelte[36]: vor der Vulgata des Hbr konnte er zwei altlateinische Textgestalten ausmachen: Lat 1 (≙ **D**), dessen „verwilderter, willkürlich verfahrender und törichter Zeuge" 75 sei[37], und Lat 2 (≙ **A**), die er in AU CAP 64 erhalten sah[38]. Die Vulgata entstand danach auf der Grundlage von Lat 1 unter Berücksichtigung von Lat 2 und der Verwendung von eigenen Verbesserungen des Revisors.

Ernst Diehl dokumentierte kurze Zeit später mit seinem Aufsatz[39] bereits wieder einen Rückfall: bei seiner Grundfrage nach dem Urtext der Paulinen[40] trennte er zwar die direkte und die indirekte Überlieferung und ging zu Recht mit Harnack von der Dependenz der Vulgata vom **D**-Typ aus, dabei aber trat er gegen die Annahme einer Sonderstellung des Hbr ein[41], der nur wegen seiner sprachlichen Komplexität unbeholfener wirke[42]. Da er — methodisch fragwürdig[43] — Partikeln und Konjunktionen, aber auch Verba und Nomina als Ausdruck persönlichen Geschmacks ausschied[44], mußte er schließlich zur Hypothese gelangen, die gesamte lateinische Tradition sei aus einer Textform herausgewachsen. Der ins 2. Jh datierte Archetyp von D war für ihn die Vorlage der gesamten lateinischen Überlieferung; A- und Vulgata-Form gehen dementsprechend etwa ab der Mitte des 3. Jh aus einer fortentwickelten Stufe des **D**-Typs hervor[45]. Der Claromontanus repräsentierte für Diehl also die ursprüngliche Textgestalt der gesamten lateinischen Überlieferung[46].

Eberhard Nestle traf bereits einige Jahre vor Clark dieselbe Feststellung der linguistischen Differenz, erreichte damit aber ganz offenbar keine entscheidende Verbreitung[47].

Alexander Souter erkannte 1905 schon vor Schäfer den engen Zusammenhang von LUC und 75 auf einen Hinweis von Burkitt hin, und zwar sah er in 75 eine Kopie desselben Textes, den auch LUC heranzog[48].

---

[35] Ebenda 331—55.

[36] Harnack, Adolf von, Studien zur Vulgata des Hebräerbriefs, in: Sitzungsberichte der Preußischen Akademie der Wissenschaften 1920; Auch in: Studien zur Geschichte des Neuen Testaments und der Alten Kirche, Bd. 1: zur neutestamentlichen Textkritik, Berlin/Leipzig 1931; 191—234.

[37] Ebenda 20.

[38] Vgl. ebenda 195.

[39] Diehl, Ernst, Zur Textgeschichte des lateinischen Paulus; 1. Teil: Die direkte Überlieferung, in: Zeitschrift für die neutestamentliche Wissenschaft 20 (1921) 97—132.

[40] Ebenda 103.

[41] Ebenda 131 f und 98.

[42] Ebenda 132.

[43] Vgl. Schäfer Hbr 5.

[44] Diehl a.a.O. 108 ff.

[45] Ebenda 120, 106 ff (v.a. 132); vgl. 119: der Claromontanus ist für Diehl der Beweis, daß die Urform nie ausstarb.

[46] Ebenda 114; vgl. zum Ansatz Diehls insgesamt auch: Vööbus, Arthur, Early Versions of the New Testament, = Papers of the Estonian Theological Society in Exile 6, Stockholm 1954.

[47] Nestle, Eberhard, Einführung in das Griechische Neue Testament, Vierte Auflage völlig umgearbeitet von Ernst von Dobschütz, Göttingen 1923; hier: 89 (die Feststellung trifft er bereits in der ersten Auflage: Göttingen 1897).

[48] Souter, Alexander, The Original Home of Codex Claromontanus (D[Paul]), in: Journal of Theological Studies 6 (1905) 240—243.

2*

Elias Avery Lowe[49] stellte den Claromontanus in den Zusammenhang mit einer ganzen Reihe anderer vergleichbar alter Handschriften, ohne ihn von diesen besonders abzuheben: paläographisch gesehen ist er keine Besonderheit. Die angesprochene sprachliche Verschiedenheit verfolgte er nicht weiter.

Karl Theodor Schäfer erwähnte die Notiz einige Jahre später[50], konnte sie aber nicht weiterverwerten, da er den Hbr nach seinem eigenen Vorhaben als ersten einer Reihe von Einzeluntersuchungen zunächst nur isoliert von den Paulinen betrachten wollte[51]; er verwies vielmehr auf spätere Untersuchungen. Sein Ziel war es unter anderem, nach dem Vorgang insbesondere von Harnack und Zimmer Texttypen und damit auch den Archetyp von **D** zu rekonstruieren, indem er dem Text von 75 die Zitate einer ganzen Anzahl von Kirchenschriftstellern zur Seite stellte. Für uns wichtig ist die Feststellung, daß LUC einen **D**-Text bietet, wie er vor der Verbindung mit einem Griechen zur bilinguen Paulus-Ausgabe im Umlauf gewesen ist: der **D**-Typ spaltet sich also mindestens in zwei Zweige, einen bilinguen, dessen herausragen der Repräsentant 75 ist und in einen „isolierten", für den zu Zeiten Schäfers LUC's Bibeltext trotz seines fragmentarischen Zustandes als der besterhaltene Vertreter galt. In Abgrenzung zum Ansatz Harnacks und mit Diehl stammt für Schäfer die Vulgata zwar vom **D**-Typ ab, wird aber nicht nach dem Text Augustins, sondern anhand guter griechischer Handschriften sowie systematischer Revision rezensiert[52]. Der Text Augustins **A** sei neben **D** selbständig aus dem Urtext erwachsen. Über Harnack hinaus bezog er auch „Mischtexte", hier vor allem die Handschrift London British Library Harley 1772 in die Untersuchung ein, sah aber nicht die Notwendigkeit, einen weiteren Texttyp daraus abzuleiten[53]. Schäfer setzte dann sein Gesamtprogramm mit Gal fort, ohne auf die linguistische Differenz nochmals zu sprechen zu kommen[54].

Im Anschluß an Schäfer beschäftigten sich seine Schüler Heinrich Zimmermann[55], Ernst Nellessen[56] und Franz Hermann Tinnefeld[57] in unterschiedlicher Intensität mit der Handschrift.

[49] Some facts und Lowe, E.A., More Facts about Our Oldest Manuscripts, in: Classical Quarterly 22 (1928) 43–62.

[50] Schäfer Hbr 10.

[51] Im Gegensatz zu Diehl, der das ganze Corpus in den Blick faßte.

[52] Dieser Ansatz hat sich heute wohl durchgesetzt.

[53] Vgl. Schäfer Hbr 4 und 48.

[54] Schäfer, Karl Theodor, Der griechisch-lateinische Text des Galaterbriefes in der Handschriftengruppe DEFG, in: Scientia Sacra. Theologische Festgabe für Kardinal Schulte, Düsseldorf 1934, ders., Die Überlieferung des altlateinischen Galaterbriefes; Teil 1, in: Personal- und Vorlesungsverzeichnis der Staatlichen Akademie zu Braunsberg, 1940.

[55] Zimmermann, Heinrich, Untersuchungen zur Geschichte der altlateinischen Überlieferung des Zweiten Korintherbriefes, = Bonner Biblische Beiträge 16, Bonn 1960. Er untersucht nach dem Vorgang von Schäfer die gesamte Überlieferung von 2 Cor in den drei von diesem vorgegebenen Typen (≙ DAV). Vgl. dazu die Rezension von Bonifatius Fischer in: Theologische Revue 57 (1961) 162–165 (hier: 163 ff), der an diesem Ansatz vor allem moniert, daß Texte wie 65 oder Mischvulgata-Vertreter sowie der Text des AMst und die sogenannte B-Überlieferung des PEL keinem besonderen Typ zugewiesen werden.

[56] Nellessen, Ernst, Untersuchungen zur altlateinischen Überlieferung des Ersten Thessalonicherbriefes, = Bonner Biblische Beiträge 22, Bonn 1965.

[57] Tinnefeld, Franz Hermann, Untersuchungen zur altlateinischen Überlieferung des I. Timotheusbriefes, der lateinische Paulustext in den Handschriften DEFG und in den Kommentaren des Ambrosiaster und des Pelagius, = Klassisch-Philologische Studien 26, Wiesbaden 1963.

Alle gehen dabei von der Einheit der lateinischen Übersetzung aus, also von einem Urtext. Bei bei den beiden letztgenannten steht vor allem die Rekonstruktion des Archetyps Z der Bilinguen im Mittelpunkt.

Hermann Josef Frede, der den Stand der Frage 1964 in der bislang letzten umfassenden Untersuchung über die altlateinischen Paulus-Handschriften zusammengefaßt[58] und sich bereits zuvor in seiner Dissertation mit Eph beschäftigt hatte, wobei er über Schäfer und Nachfolger hinausgehend noch die Texttypen K und I definieren konnte[59], übertrug diese erweiterte Typeneinteilung auf die Beuroner Ausgabe, beginnend mit dem Eph. In den ersten Bänden der Vetus Latina-Edition der Paulusbriefe wurde zunächst auf der Grundlage des durchgehenden Claromontanus-Textes und einiger Zeugen die D-Zeile des Schemas konstruiert[60]. 1973 gelang Frede die Identifizierung eines bisher nicht als Altlateiner qualifizierten Paulustextes (Budapest Clmae 1; VL 89)[61]. Zumindest für die dreizehn Paulinen steht damit seither ein vollständiger D-Text des „isolierten" Zweiges zur Verfügung.

Diesen nur skizzenhaft angerissenen „Weg der Forschung" beschreiben ausführlicher vor allem Metzger[62], Fischer[63] und Aland[64]. Sie bieten jeweils einen kompletten Überblick, den ich an dieser Stelle nicht zu kopieren brauche.

Wir haben im Verlauf dieses Durchgangs gesehen, daß der Claromontanus in Bezug auf linguistische Differenzen zunächst gar nicht in den Blick gefaßt wurde. Auch Nestle und Lowe gingen der aufgenommenen Fährte nicht weiter nach; Schäfer konzentrierte sich in seinen Abhandlungen zunächst auf die Briefe als Einzelschriften ohne Blick auf ihre Zusammenhänge und wollte erst die Vollendung aller nachfolgenden Untersuchungen analog zu seiner abwarten. Frede schließlich mußte im Rahmen seiner Monographie über die altlateinischen Paulushandschriften auf weitergehende Untersuchungen verzichten.

War bisher eine gründlichere Aufarbeitung des Problems und damit eine Bestätigung der These nicht drängend, so scheint es nun an der Zeit, auch in diesem Punkt eine endgültige Klärung herbeizuführen.

---

[58] Frede, Hermann Josef, Altlateinische Paulushandschriften, = Vetus Latina. Aus der Geschichte der lateinischen Bibel 4, Freiburg 1964. Die Darstellung wurde dann in ders., Ein neuer Paulustext und Kommentar, I. Untersuchungen, II. Die Texte, = Vetus Latina. Aus der Geschichte der lateinischen Bibel 7–8, Freiburg 1973–1974 und den Einleitungen der Vetus Latina-Edition aktualisiert, für den Claromontanus kam nichts mehr hinzu.

[59] Frede, Hermann Josef, Untersuchungen zur Geschichte der lateinischen Übersetzung des Epheserbriefes, Bonn 1958 (ungedruckte Diss.).

[60] Die bisher von ihm herausgegebenen Briefe sind in Anmerkung 1 aufgelistet.

[61] Publiziert in: Frede 89.

[62] Metzger, Bruce Manning, The early versions of the New Testament: their origin, transmission, and limitations, Oxford 1977.

[63] Fischer, Bonifatius, Das Neue Testament in lateinischer Sprache, in: Die alten Übersetzungen des Neuen Testaments, die Kirchenväterzitate und Lektionare, hrsg. von Kurt Aland, Berlin/New York 1972; = Arbeiten zur neutestamentlichen Textforschung 5, 1–92, wiederabgedruckt in: Bonifatius Fischer, Beiträge zur Geschichte der lateinischen Bibeltexte, = Vetus Latina. Aus der Geschichte der lateinischen Bibel 12, Freiburg 1986; 156–274.

[64] Aland, Kurt, Aland, Barbara, Der Text des Neuen Testaments, Stuttgart 1982.

Problemstellung

Die vorgelegte Untersuchung versucht auf diesem Hintergrund, folgende Fragen zu beantworten:

1) Hatte Clark mit seiner Doppelthese recht; ist der Hbr von Pls linguistisch verschieden, und
2) müssen wir mit zwei unterschiedlichen Vorlagen („composite character") rechnen?
3) Wie sind die Antworten in das Umfeld des Claromontanus in textgeschichtlicher Hinsicht einzuordnen?

Vorgehensweise

Ganz entsprechend der dreifachen Zielvorgabe ist ein dreifacher Lösungsweg gewählt[65]:

a) Herzstück und zentrales Anliegen der Arbeit ist der Nachweis, daß die These Clarks einer detaillierten Überprüfung standhalten kann. Da der Begriff „linguistisch" weit gefaßt werden kann, verkürze ich das Problem konkret auf die Frage, ob der Wortschatz des Hbr sich von dem der 13 Paulinen fundamental unterscheidet. Die Betrachtung von Wortschatzdifferenzen bietet dabei – im Gegensatz zu anderen Bereichen – den Vorteil, über eine Konkordanz auf den gesamten Materialbestand zugreifen zu können.

b) Auf der Grundlage der quantitativen Aufschlüsselung des Wortschatzes versuchen wir uns dann in einem zweiten Schritt der Frage zu nähern, ob der Hbr im Claromontanus wirklich von einer anderen Vorlage abstammt als die Paulusbriefe. Entscheidend wird neben dem Befund der Wortlisten die zusätzliche Hereinnahme einer Untersuchung weniger grammatikalischer Phänomene sein. In hohem Maße müssen wir dabei auf die Ergebnisse bereits geleisteter Forschungsarbeit zurückgehen. Daher ist es unvermeidlich, daß auch zum Teil veraltete Begriffe, Strukturen und Deutungsmuster in unsere Untersuchung mit einfließen.

---

[65] Hier wird nur die Gesamtanlage dargestellt, weitergehende methodische Hinweise finden sich am Beginn eines jeden Kapitels.

c) Im letzten Teil dieser Arbeit versuche ich schließlich auch anzudeuten, welchen Stellenwert der Befund im textgeschichtlichen Zusammenhang besitzt. Es ist nach den vorangegangenen Ausführungen gar nicht mehr verwunderlich, wenn in dieser Untersuchung keine grundlegend neuen Anstöße auf die Text-Kritik zu erwarten sind: dieses Kapitel ist wohl endgültig abgeschlossen. Die Bilinguen befinden sich allesamt mit ihrer Relevanz für die Textgeschichte „auf dem absteigenden Ast".

Zunächst jedoch muß ich in Ergänzung dieser Einführung auf die Material-basis der Untersuchung zurückkommen und werde also im folgenden Abschnitt die wichtigsten Forschungsergebnisse in Bezug auf den Codex Claromontanus, soweit es seine äußere Gestalt anbetrifft, referieren.

Die Fülle der Informationen macht eine erschöpfende Darstellung zur Illusion. Für den Bereich der paläographischen Beschreibung orientiere ich mich an Lowe[66], bei den geschichtlichen Teilen an Frede[67], auf die ich für einen gründlicheren Einblick in die Materie zurückverweise.

Die Handschrift

a) Beschreibung:

So wie die Handschrift heute vor uns liegt, umfaßt sie 533 Blätter in einem ehemals quadratischen Format[68], das heute durch Beschneidungen an den Rändern etwas kleiner ist als zur Zeit der Entstehung: 25 × 19,2 cm[69]. Der Schriftraum umfaßt 15 × 13,8 cm. Die Bilingue bietet „Original" und „Übersetzung" auf einen Blick; das Griechische ist dabei immer auf der Verso-Seite, also links[70]. Die Blätter mit Rm 1,1–7 (...//κλητοῖς ἁγίοις) auf der griechischen Seite und mit Hbr 13,21 (quod placeat//...) – Schluß fehlen.

Um das Format zu wahren, wurden manchmal am Zeilenende kleinere Buchstaben unter die Zeile gepackt[71].

Offenbar hat man acht Folien zu einer Lage zusammengebunden, wobei die Fleischseite nach außen zeigt[72]. Die Blätter 312–317 sind heute kopfstehend eingebunden[73].

[66] Lowe CLA 521.

[67] Pls 23–33.

[68] Lowe Some facts 207: 13 der von ihm untersuchten Handschriften haben einen quadrati-schen, zehn einen fast quadratischen Schreibraum; Lowe More facts 59: die genau quadratische Form zeigt, daß die Handschrift früher als das sechste Jahrhundert anzusetzen ist.

[69] Tischendorf Codex IX erschließt dies aus verstümmelten Korrekturanmerkungen auf den Seiten 68 (Zeile 1); 97 (5) oder fehlenden Entsprechungen zu Zeichen im Text 90 (5. 6. 19).

[70] Gregory Textkritik 105: links ist der Ehrenplatz.

[71] Tischendorf Codex IX.

[72] Die Lagenbezeichnung war bei der überwiegenden Masse der alten Handschriften rechts unten, die Angabe erfolgte mit römischen Zahlen und regelmäßig mit einem vorgesetzten q. Frede

Der Text des Claromontanus ist ohne Worttrennung sowie in Kola und Kommata geschrieben. Jede Seite besteht, abgesehen vom Titel, aus je einer Kolumne zu 21 Zeilen[74]. Auf den Folien 179 und 514 ließ der Schreiber zunächst einen (514), bzw. zwei Verse (179) aus, die er dann über diese Zeilenzahl hinausgehend griechisch und lateinisch ergänzte[75]. Am jeweiligen Briefschluß wird der Rest der Seite freigelassen. Jeder Brief beginnt also auf einer neuen Seite. Lebende Titel finden wir auf beiden Seiten, zum Teil sind sie abgekürzt[76].

Auf die Lücke von vier Seiten zwischen Phlm und Hbr werde ich später zurückkommen. Größere Sinneinheiten werden durch ausgerückte und gleichzeitig leicht vergrößerte Buchstaben angezeigt[77]. Darüberhinaus wird auf den ersten 70 Folien der jeweils erste Buchstabe jeder lateinischen Seite größer geschrieben. Allerdings tritt er nicht vor den eigentlichen Zeilenanfang[78]. Diese Blätter gehen auf einen Archetyp gleicher Gestalt zurück und sind bereits zur Entstehungszeit des Claromontanus nur noch ein Anachronismus[79]: die sehr alte Gewohnheit stammte wahrscheinlich aus Italien[80]. Sie starb nicht überall zur gleichen Zeit aus, sondern hielt sich an der Peripherie des Reiches länger; penible Schreiber übten sie sogar noch Jahrhunderte später[81].

Das Pergament des Claromontanus ist sehr fein, fast durchsichtig. Nur Folie 6 ist etwas dicker; diese wurde allerdings später hinzugefügt[82].

Abgesehen von den jeweils ersten drei Zeilen jedes Paulusbriefes und den AT-Zitaten in Pls, die man in aller Regel daran erkennen kann, daß sie rot geschrieben und ein bis drei Buchstaben weit eingerückt sind, ist die Tinte Oliv-Braun[83]; der Hbr macht dabei eine Ausnahme[84].

Pls 16: auf Fotos ist nichts auszumachen. Nach Lowe Some facts 208 sind die Lagen nicht bezeichnet.

[73] Lowe CLA.

[74] Lowe More facts 59: die Zeilenzahl schwankt bei seiner Auswahl an alten Handschriften zwischen elf und 43, die Mehrheit hat 25, es ist aber keine Verallgemeinerung möglich. Lowe Some facts 207 und More facts 59: in den ältesten Handschriften werden zwei Kolumnen der Langzeile vorgezogen.

[75] Tischendorf Codex IX und 560: fol. 179: vielleicht wurden die überzähligen zwei Zeilen schon in der Vorlage am Rand nachgetragen?

[76] Ebenda XIII; Lowe Some facts 206: lebende Titel gibt es erst etwa ab der Wende vom fünften zum sechsten Jahrhundert; gewöhnlich stammen sie vom Schreiber oder einem Zeitgenossen; sie kommen in fast allen Handschriften vor und sind kleiner, aber im gleichen Schrifttyp wie die Handschrift; vgl. More facts 59.

[77] Vogels, Heinrich Josef, Der Codex Claromontanus der Paulinischen Briefe, in: G. H. Wood, Amicitiae corolla. A Volume of Essays presented to J.R. Harris, London 1933; 274–299, hier: 281 stellt fest, daß manchmal mitten im Vers solche Sinnabschnitte angezeigt werden.

[78] So war es in Luxushandschriften des vierten oder fünften Jahrhunderts der Fall: Lowe Some facts 205 und Frede Pls 21.

[79] Lowe Some facts 204.

[80] Ebenda 205.

[81] Ebenda 204 f.

[82] Tischendorf Codex IX.

[83] Vgl. Wordsworth, J., Sanday, W., White, H. J., Portions of the Gospels According to St. Mark and St. Matthew From the Bobbio Ms. (k), Now Numbered G. VII. 15 in the National Library at Turin Together with Other Fragments of the Gospels From Six Mss. in the Libraries of St. Gall, Coire, Milan, and Berne, = Old-Latin Biblical Texts 2, Oxford 1886; hier: IX: die Tinte ist derjenigen der Handschrift 1 sehr ähnlich.

Dieser Wechsel in der Verwendung der Tinten wird seit Lowe[85] als ein Indiz für die linguistische Distanz zwischen den beiden Teilen gewertet.

Gelegentlich sind die Buchstaben *C E O R S* am Zeilenende vergrößert[86]. Schluß-m und -n werden in der griechischen Kolumne mit einem Querstrich angedeutet, in der lateinischen nur das Schluß-m[87].

Von der Schreibweise der Buchstaben her läßt sich einiges über den Schreiber und den Entstehungsort sagen: Die sogenannte b-d-Unziale, in der die Handschrift abgefaßt ist, deutet sicher auf ein „exzentrisches" Skriptorium hin, das nicht in einem kulturellen, und damit die Schriftentwicklung vorantreibenden Mittelpunkt lag[88]. Diese Schrift[89] hatte ihr Vorbild wahrscheinlich in Gesetzesbüchern, die aus einem einzigen Skriptorium, vielleicht in Byzanz, in die Provinzen gelangten[90]. Sie erwuchs im dritten Jahrhundert parallel zur Unziale aus der Kursive und fand vor allem Verwendung für Zusätze, Marginalien, Einschübe und Korrekturen; und zwar geschah dies in der Weise, daß ein zeitgenössischer Korrektor bereits unmittelbar nach Fertigstellung korrigierte[91]. In altertümlichen und provinziellen Handschriften erscheint sie auch als Buchschrift, wozu sie nur in den Provinzen geworden ist. Von italienischen Schreibern wird sie dagegen nie so verwendet – außer am Zeilenende. Dasselbe Phänomen finden wir sonst nur noch im Codex Bezae[92].

[84] Lowe More facts 61: im vierten und fünften Jahrhundert war es die weitestverbreitete Zitatmarkierung, ein bis drei Buchstaben einzurücken; ab dem sechsten Jahrhundert haben wir dann mit Randmarkierungen zu rechnen.

[85] Some facts 204.

[86] Lowe bringt dafür noch andere Handschriften-Beispiele: Some facts 205; vgl. auch Frede Pls 21: Florenz Laurenziana s.n. (CLA III,295) mit Justinians „Digesta seu Pandecta", und auch in anderen Gesetzestexten. Livius-Fragment Verona Biblioteca Capitolare XL (38) (CLA IV,499).

[87] Vgl. Tischendorf Codex XII; vgl. auch Lowe Some facts 205: Die Abkürzung des n ist jünger als die des m; noch jünger wäre eine n-m-unterscheidende Markierung anzusetzen, die hier aber nicht vorliegt: Lowe Some facts 204.

[88] Zum gesamten Komplex der b-d-Unziale stammen meine Informationen aus: Frede Pls 17–20; Lowe CLA; vgl. auch Bischoff, Bernhard, Paläographie des römischen Altertums und des abendländischen Mittelalters, = Grundlagen der Germanistik 24, Berlin 1979; hier: 93 ff, vor allem 97; sowie Clark, Albert C., The Acts of the Apostles, Oxford 1933; hier: LVII, LXII; und Lowe Bezae 385.

[89] Frede Pls 19: „ein toter Nebenzweig am Baum der Entwicklung der lateinischen Schrift".

[90] Lowe, E.A., The Codex Bezae, in: Journal of Theological Studies 14 (1913) 385–388, hier: 386.

[91] Vgl. Frede Pls 19/20, der hier auch Beispiele für die b-d-Unziale als Korrekturschrift bringt, die alle aus Italien stammen.

[92] Clark a.a.O. LXII; Lowe Bezae 385; Frede Pls 18.

Pls und Hbr stammen von der gleichen Hand[93]. Der Schreiber kannte nur die griechischen Schönschreibregeln[94]. Dieser Feststellung Cavallos steht die Ansicht von Corssen[95] entgegen, der aus der ansonsten unbezeugten sporadischen Einfügung oder Auslassung des Artikels in anderen griechischen Handschriften auf einen lateinisch-sprachigen Schreiber schließt, der mit dem Artikel nicht viel anzufangen wußte. Lowe stellt dazu allerdings fest: der Schreiber war es gewohnt, griechisch zu schreiben: A E N O T beispielsweise folgen griechischen Schreibvorschriften, R hat dieselbe Form wie in den Florentius-Digesten und anderen Gesetzeshandschriften. Im Gegensatz dazu ist ihm nach Ansicht von Vogels das Lateinische geläufiger[96].

Der Claromontanus entstand in einem Zentrum, wo über Jahrhunderte hinweg das Griechische zwar die geläufigere Sprache war, lateinische Schriften andererseits aber auch als bekannt vorausgesetzt werden dürfen[97]. So können etwa auch viele Fehler der lateinischen Kolumne einem lateinischsprachigen Schreiber nicht unterlaufen[98].

Darüberhinaus machte der Schreiber in Hbr entweder deutlich mehr Fehler oder der Brief wurde vor der Claromontanus-Niederschrift nicht durchkorrigiert[99]. Auf jeden Fall erhöht sich hier die Fehlerquote spürbar[100].

Abgekürzt werden nur die Nomina Sacra $\overline{DMI}$, $\overline{DMO}$, $\overline{DOM}$, $\overline{SPM}$[101], die auf den ersten Seiten von einem Punkt abgeschlossen sind[102], während ΥΙΟΣ und ΣΩΤΗΡ sowie DEUS mit seinen

[93] Gegen Hug, Johannes Leonhard, Einleitung in die Schriften des Neuen Testaments, 2 Teile, Stuttgart/Tübingen ⁴1847; hier: 251, der in Anlehnung an Griesbach (vgl. Tischendorf Codex XI f) zwei Hände postuliert, hält diese Tatsache unter anderem Tischendorf Codex XI fest; vgl. auch Frede Pls 17.

[94] Cavallo, Guglielmo, Ricerche sulla maiuscola biblica, Studi e testi di papirologia 2, Florenz 1967; hier: 75.

[95] 2, 4; Hug a.a.O. 250, nimmt an, die griechischen Buchstaben verraten den lateinischen Schreiber. Vgl. auch Soden, Hermann von, Die Schriften des Neuen Testaments, 1. Teil: Untersuchungen, 3. Abteilung: Die Textformen, B: Der Apostolos mit Apokalypse, Göttingen ²1911; hier: 1937, der aus Buchstabenverwechslungen in der griechischen Kolumne darauf schließt, der Schreiber sei des Griechischen unkundig gewesen.

[96] Vogels Harris 280.

[97] Diese Festlegung von Lowe CLA wird wohl — soweit ich die Lage überblicke — allgemein angenommen, vgl. auch Cavallo a.a.O. 75.

[98] Tischendorf Codex XVIII; Dahl, Nils Alstrup, 0230 (PSI 1306) and the fourth-century Greek-Latin edition of the letters of Paul, in: Text and Interpretation: Studies in the New Testament presented to Matthew Black (hrsg. von E. Best, R. McL. Wilson), Cambridge 1979; 79—98; hier: 84, der auch den Vorgänger von 75 D in einer vornehmlich griechisch-sprachigen Umgebung lokalisiert. Tischendorf bringt Beispiele für oft sinnentstellende Fehler; vgl. dazu auch Zimmermann a.a.O. 53: 2 Cor 3,11 aborentur statt abolentur; 11,9 honore statt oneri.

[99] Wie Tischendorf Codex XVI als erster vermutete.

[100] Vgl. Gregory, Caspar René, Prolegomena zu Constantin Tischendorf Novum Testamentum Graece; Bd. III, Teil 1, Leipzig ⁸1884 (8. Auflage in der Tischendorfschen Ausgabe); hier: 419, Gregory Textkritik 106; Schäfer Hbr 9; ist dieser Umstand mit ein Grund für die These von Clark?

[101] Lowe CLA.

[102] Vgl. dazu auch Tischendorf Codex XIII.

Derivaten immer ausgeschrieben werden[103]. Da wir uns vor allem für den Text des Claromontanus interessieren müssen, brauchen wir über Phänomene wie Worttrennung, Interpunktion, Akzente, Spiritus, Iota subscripta, αι/ε- und ω/ο-Verwechslung nichts weiter sagen[104].

Hochproblematisch wäre es, in den Fehlern oder orthographischen Besonderheiten etwa Hörfehler zu sehen und daraus dann eine Diktattheorie abzuleiten, wie dies im Fall des Codex Bezae schon geschehen ist[105]. Andererseits wird hier von mir die Möglichkeit natürlich nicht ausgeschlossen. Es gibt für beide Annahmen gute Gründe: Schäfer geht vom Abschreiben aus und führt als eine Begründung Hbr 3,1 an, wo 75 *sacerdotum* fehlt, worin er[106] einen Abschreibefehler sieht. Die Schreibweise *susum* statt *sursum* ist offenbar auch kein Diktat- oder Hörfehler, sondern lediglich eine Verschreibung: Parker[107] stellt dies im Zusammenhang einer Betrachtung zu Act 2,19 fest, was aber übertragbar ist.

Ich möchte dagegen nun — ohne damit eine These aufzustellen — zwei Gründe, die für eine Diktat-Theorie sprechen können, ins Spiel bringen: zum einen ist die Verschreibung Hbr 11,29 *sperti Aegypti* wohl nur auf einen akustischen Fehler zurückzuführen; zum anderen ist Hbr 6,9 *nam et sic* als Wiedergabe von εἰ καὶ οὕτως sinnlos: verständlich wird es als „verhörtes" *tametsi*. Die Liste ließe sich fortsetzen.

Es ist auffällig, daß der Schreiber die Rm-Doxologie nach einer stichischen — also nach Raumzeilen, nicht nach Kola und Kommata geordneten — Handschrift ergänzen mußte[108]. Platzmangel kann hier kein Argument sein, da sich die Unterschiede im Platzverbrauch auf weniger als eine Zeile belaufen[109].

Die Ordnung der Paulusbriefe ist: Rm, 1–2 Cor, Gal, Eph, Col, Phil, 1–2 Th, 1–2 Tm, Tt, Phlm, Hbr. „...Col Phil..." wird dabei außer vom Claromontanus auch noch von AU ep 51,5[110] und leg 2,4[111] bezeugt; in griechischen Handschriften dagegen ist diese Reihenfolge selten[112].

---

[103] Allerdings haben sie — nach Lowe More facts 61 und vor allem Lowe CLA — eine Linie als zusätzliches Indiz, vgl. auch schon Tischendorf Codex XII;, die ausgeschriebene Form von *deus* finden wir nur in den ältesten Handschriften.

[104] Vgl. Fischer NT 263: dort wurde die obige Auflistung entnommen, vgl. auch Billen, A.V., The Old Latin Texts of the Heptateuch, Cambridge 1927;, hier: 12: Orthographika sagen mehr über die Entstehungsbedingungen der individuellen Handschrift aus als über den Text, aus dem sie herauswächst.

[105] Vgl. Parker, David, A „Dictation Theory" of Codex Bezae, in: Journal of Studies of the New Testament 15 (1982) 97–112; hier: 106: die Diktattheorie läßt sich für den Bezae nicht beweisen.

[106] Hbr 27.

[107] A.a.O. 99.

[108] Vgl. Corssen 2, 26 f; Frede Pls 155. Die Linien gehen hier über die ganze Seite, sind also nicht nach Sinnzeilen gegliedert; in einem jüngeren Vorgänger war hier eine textliche, nicht mechanische Lücke. Zur Addition des Fehlenden vgl. die Handschriften FG: etwa ein Drittel der Seite blieb am Briefende frei. D repräsentiert die bereits nächste Stufe kurz nach der Lückenfüllung: Kilpatrick, G.D.; Western Text and Original Text in the Epistles; in: Journal of Theological Studies 45 (1944) 60–65; hier: 63.

[109] Corssen Rm 7.

[110] Aus dem Jahre 399/400.

[111] Aus dem Jahre 421.

Eine Unregelmäßigkeit finden wir am Schluß von Eph, wo Subscriptio und Inscriptio auf die beiden letzten Zeilen der Seite gedrängt, während sie sonst durch einen Intervall abgeteilt sind[113]. Ursprünglich war wohl – wie sich aus der Rasurlänge schließen läßt – hinter Eph zunächst Phil geplant. Die neue Subscriptio wurde nach einer anderen Vorlage ergänzt, aber passend zum griechischen Gegenüber[114].

Dieser Befund macht zusammen mit der singulären Anordnung der Paulinen im Claromontanus eine Aussage über die Briefordnung in dessen Vorgänger problematisch[115].

Nach Phlm finden wir kein incipit[116]; dort ist stattdessen ein auffälliges Schlußornament angebracht: goldene Schlangenlinien überstreut mit roten Punkten[117].

Im Übrigen heben sich die Kolophone, bei denen sich der Redaktor nur auf αρχεται... *incipit* und επληρωϑη... *explicit* beschränkt, und die von der Texthand stammen[118], von der übrigen Schrift nicht besonders ab[119]. Auf Blatt 149 und 173 haben wir die einzigen Perikopen-Vermerke in der lateinischen Kolumne[120]. Sonst besitzt die Handschrift keine Beigaben wie Prologe, Kapitula oder ähnliches.

Wichtig ist für uns die Lücke von vier Seiten[121] zwischen Phlm und Hbr: Simon[122], Zahn[123],

[112] DE 5 1930 1978 (Frede Col 300); Finegan, Jack, The Original Form of the Pauline Collection, in: Harvard Theological Review 49 (1956) 85–103; hier: 89 weist diese Ordnung dem marcionitischen Kanon zu. Die überhaupt häufig wechselnde Stellung von Col läßt sich begründen: mit seiner engen Beziehung zu Phlm, mit Anzeichen von Teilsammlungen; mit seinem Bezug zu Laod, der ja durch Col 4,16 bedingt ist und schließlich mit der Tatsache, daß er ein Gefangenschaftsbrief ist wie Eph Phil.

[113] Vgl. Tischendorf Codex IX; Corssen 2, 27 f.

[114] Frede Col 299 f.

[115] Ebenda 300.

[116] Vgl. Zahn, Theodor, Geschichte des Neutestamentlichen Kanons, zweiter Band: Urkunden und Belege zum ersten und dritten Band, erste Hälfte, Erlangen/Leipzig 1890; hier: 160, der dies als ein Zeichen dafür wertet, daß der Hbr zum Zeitpunkt der Fertigstellung des Phlm noch nicht zur Aufnahme vorgesehen war.

[117] Vgl. ebenda 161. Hinter den anderen Briefen sind nur mit der normalen Tinte Haken angebracht.

[118] Frede Th 23.

[119] Lowe More facts 60: in den ältesten Handschriften waren Kolophone einfach gestaltet, wobei die Buchstaben im allgemeinen größer, aber von der gleichen Schrift wie der Haupttext geschrieben waren. Früh schon wurde die rote Farbe gebraucht. In den ältesten Handschriften wurde allerdings kein incipit oder explicit verwendet (gegen Mercati, Giovanni, On the Non-Greek Origin of the Codex Bezae, in: Journal of Theological Studies 15 (1914) 448–451; hier: 449, der dieses Phänomen schon in den ältesten Altlateinern erkennt, aber nicht bei den Griechen; außerdem dort: incipit steht in diesen Handschriften nicht oben, sondern auf der vorhergehenden Seite). Vgl. dieses Phänomen beim Claromontanus.

[120] Frede Th 23. Zahn 2,1 166 schließt aufgrund der Sinnzeilen auf einen ursprünglich beabsichtigten gottesdienstlichen Gebrauch der Handschrift.

[121] Wikenhauser, Alfred, Schmid, Josef, Einleitung in das Neue Testament, Freiburg/Basel/Wien ⁶1973; hier: 90 geben fälschlicherweise drei Seiten Lücke an; richtig ist, daß nur drei Seiten beschrieben sind.

[122] A.a.O. 381.

[123] 2,1 161.

Sundberg[124], um nur einige zu nennen, werten die Lücke als Beleg für die singuläre Stellung des Hbr und als weiteres Argument neben der linguistischen Differenz.

Die Lücke hinter Phlm läßt zunächst den Schluß zu, daß in der Vorlage des Claromontanus etwas nicht stand, was an dieser Stelle eingebaut werden sollte, oder daß der Herausgeber den Hbr auf diese Weise von den Paulinen absetzen wollte. Gegen diese letzte Annahme spricht allerdings der Umfang von vier Seiten: dazu hätten auch zwei Seiten genügt.

Wahrscheinlicher also ist es, daß an dieser Stelle noch ein Nachtrag vorgesehen war. Ausgehend von 77, wo nach Phlm Platz für den Laod gelassen ist, postuliert Frede für die Claromontanus-Lücke die Absicht des Schreibers, zu einem späteren Zeitpunkt den Laod nachzutragen[125].

Dieser Brief, der im Griechischen nicht belegt wird, entstand im lateinischen Sprachbereich im 4. Jh[126]; er genoß gerade um diese Zeit in lateinischen Kirchen hohes Ansehen, ja kanonischen Rang, wenn auch sein Platz im Kanon nicht deutlich fixiert war[127]. In vielen Handschriften weist der Prolog zum Col auf einen vorhergehenden Laod[128].

Wir müßten allerdings, um die Theorie aufrechterhalten zu können, entweder davon ausgehen, daß der Herausgeber des Claromontanus noch mit einer zweisprachigen Ausgabe des Laod rechnete: dann hätte er gerade etwa die Hälfte des notwendigen Platzes übriggelassen, denn der Laod übersteigt die erlaubte Zahl von 42 Stichen bei einer gleichmäßig aus Pls und Hbr fortgeschriebenen Stichenlänge deutlich (dem Längenvergleich liegt die Stuttgarter Vulgata zugrunde[129]) und das völlige Fehlen einer griechischen Überlieferung des Briefes wäre ihm unbekannt gewesen. Sollte der Laod andererseits vielleicht nur lateinisch aufgenommen werden? Dies erscheint im Rahmen einer zweisprachigen Edition des 5. Jh von vornherein problematisch, und in weit höherem Maße spricht eine andere Überlegung dagegen: zwar würde der Laod − nur lateinisch − bei einer „normalen" Stichenlänge ziemlich gut die vier leeren Seiten füllen, andererseits müßte dann der Editor diese Länge entweder geschätzt haben; oder aber ihm lag ein

[124] Sundberg, Albert C. jr., Canon Muratori: A Fourth-Century List, in: Harvard Theological Revue 66 (1973) 1−41; hier: 39 wertet die Lücke explizit als ein Zeichen für einen Schreiberprotest gegen die Aufnahme des Hbr in den Kanon.

[125] Vgl. etwa Frede Col 299.

[126] Frede Col 301; vgl. Zahn, Theodor, Geschichte des Neutestamentlichen Kanons, erster Band: Das Neue Testament vor Origenes, erste Hälfte, Erlangen 1888; hier: 280: trotz ursprünglich griechischer Sprache sei der Katalog im Westen entstanden, und zwar (ebenda 281:) im 2. oder 3. Jahrhundert in Rom oder seiner Umgebung. Den ältesten bekannten Text von Laod haben wir in F, wo er zwischen Col und den Privatbriefen steht (ebenda 279). Vgl. auch Hennecke, Edgar, Neutestamentliche Apokryphen, dritte, völlig neubearbeitete Auflage herausgegeben von Wilhelm Schneemelcher, Band 2: Apostolisches, Apokalypsen und Verwandtes, Tübingen 1964.

[127] Vgl. Frede Col 301. Vgl. dazu auch Zahn 1,1 278: in der Bibel, die PS-AU spe vorlag, stand Laod hinter den Pastoralbriefen, während der Hbr hier ganz fehlte. Zahn 1,1 277: Das Muratorische Fragment führt ihn als unecht.

[128] Zahn 1,1 279.

[129] Biblia Sacra iuxta Vulgatam versionem adiuvantibus B. Fischer, J. Gribomont, H.F.D. Sparks, W. Thiele recensuit et brevi apparatu instruxit R. Weber (seit der dritten Auflage ist H.J. Frede Mitherausgeber), Stuttgart [3]1983.

lateinischer Laod vor (dem aber eventuell typspezifische Eigenheiten abgingen[130]): In beiden Fällen ist aber zu fragen, warum er ihn nicht aufnahm. Wartete er auf eine Fassung, die in ihrem Sprachcharakter besser zu den Paulinen paßte? Möglich ist natürlich auch, daß ihm ein Stichenverzeichnis vorlag, das Rückschlüsse auf den zu reservierenden Platz zuließ.

Sicher ist in diesem Fall eigentlich nur eines: Laod war nicht Teil eines Zweiges von Z, sonst hätten wir nicht in allen davon abstammenden Handschriften diese Lücke. Damit habe ich nicht gegen die Hypothese gesprochen, Laod sei für den Claromontanus vorgesehen gewesen.

Ich möchte die angesprochenen Fragen, zumal sie diese Untersuchung nicht direkt berühren, offen lassen.

Wir dürfen ursprünglich keine Akzente voraussetzen. Diese Tatsache wertet schon Sabatier als ein Zeichen sehr hohen Alters[131]. Dafür spricht auch, daß wir eine forciert ausgebildete Majuskel vor uns haben: die nur bis ins sechste Jahrhundert hinein kalligraphische Schrift *par excellence*[132].

Aufgrund der dargelegten Phänomene hat sich folgende Festlegung als tragfähig erwiesen: unsere Handschrift entstand wahrscheinlich im fünften Jahrhundert[133] im Westteil des Römischen Reiches, vielleicht in Süditalien[134]; mehr ist über ihre Herkunft nicht mehr zu sagen.

Vier von fünf deutlichen Unterschieden zwischen dem Pls- und dem Hbr-Teil sind bisher angesprochen worden: nach Phlm finden wir kein αρχεται — *incipit*; zwischen Phlm und Hbr klafft eine Lücke von vier Seiten; die Fehlerquote erhöht sich im Hbr beträchtlich und der Gebrauch roter Tinte zur Kennzeichnung von alttestamentlichen Zitaten und des Briefeingangs hört auf. Der fünfte Unterschied, die linguistische Differenz, ist nun noch nachzuweisen.

[130] Dann hätten wir hier einen Hinweis darauf, daß auch die Entwicklung des Laodicener-Briefs in Typen wie Pls oder Hbr darstellbar und verlaufen ist.

[131] A.a.O. 591.

[132] Cavallo a.a.O. 76.

[133] Ich übernehme die Schlußfolgerung von Lowe CLA. Ebenfalls für das fünfte Jahrhundert stimmen: Lowe Some facts 202 (V/VI); Frede Pls 22 (Mitte oder zweite Hälfte) als sicherem Terminus ante quem: (vgl. ebenda 19) HIL-Handschrift Vat. S.Pietro 182 foll. 13—27, 34—228 (CLA I,1a): um 510 Sardinien; In dessen Folge Dahl Eph 81; Zuletzt auch noch Cavallo a.a.O. 15 und 74 ff von der griechischen Schrift her. Für das sechste Jahrhundert treten ein: Tischendorf Codex XIV ff; Gregory Textkritik 105; Souter Clar 243; Corssen Rm 5, Bericht 25; Diehl a.a.O. 100; Lagrange, M.J., Critique Textuelle, II.: La Critique Rationelle, (Deuxième Partie de l'introduction à l'étude du Nouveau Testament, in: Études Bibliques), Paris 1935; hier: 481; Schäfer Hbr 1; Bover, Joseph M., Textus Codicis Claromontani D in epistula ad Galatas, in: Biblica 12 (1931) 199—218; Vogels Harris 275 und ders., Handbuch der Textkritik des Neuen Testaments, Bonn ²1955; hier: 46, Ayuso Marazuela, Teófilo, La Vetus Latina Hispana, I, Prolegómenos, introducción general, estudio y análisis de la fuentes, Madrid 1953; Vööbus a.a.O. 40; Sundberg a.a.O. 32; Aland Text 106, Westcott, Brooke Foss, A General Survey of the History of the Canon of the New Testament, Cambridge/London ⁵1881; hier: 266 stimmt allgemein für eine sehr frühe Übersetzung von 75: vor dem 4. Jh übersetzt; vgl. ders. 563.

[134] Mit Frede Pls 22, der sie auf jeden Fall in einem zweisprachigem Gebiet lokalisieren will; Tischendorf Codex XVII f geht von Alexandrien aus, Corssen Bericht 11 tritt für Südgallien ein; Souter Clar 243 plädiert für Sardinien; Clark a.a.O. LXIV schließt sich ihm an.

Seinen Namen erhielt der Claromontanus von seinem Entdecker, dem Genfer Humanisten und Theologen Theodore de Bèze (latinisiert Beza; Nachfolger Calvins) aus Genf nach seinem Fundort, dem Kloster Clermont bei Beauvais[135].

b) Geschichte

Die Korrekturen[136] am Claromontanus begannen fast unmittelbar nach seiner Fertigstellung[137]: der erste Korrektor, dessen Arbeit wir mit Tischendorf als d**c bezeichnen wollen, ahmte die ursprüngliche Schrift nach und trug seine Verbesserungen in einer reinen italischen Unziale ein: sehr früh ist auch die Schicht d** anzusetzen, die die Absicht verfolgte, den lateinischen Text mit dem griechischen abzustimmen[138]. Etwa gleichzeitig dazu paßte D**b an wenigen Stellen die Orthographie und den Text des Griechen dem Normaltext an[139].

Zu Beginn des sechsten Jahrhunderts[140] mußte die sechste Folie (griechischer Text: Rm 1,27–30; lateinischer Text: Rm 1,24–27) ergänzt werden; der Text wurde aber noch vom schadhaften Blatt in b-d-Unziale übertragen[141]. Der Kopist allerdings war es ganz offensichtlich nicht gewohnt, Latein zu schreiben[142]. Außerdem versäumte er es, die ersten Buchstaben der beiden Seiten zu vergrößern ebenso wie die Schlußbuchstaben in solchen Zeilen, wo es zu erwarten gewesen wäre; zudem verwendete er ein viel gröberes Pergament[143].

Im Römerbrief finden wir in einer kleinen Kursive des sechsten oder siebten Jahrhunderts Korrekturen, die am Rand durch das Signum ro̅ gekennzeichnet sind: d***[144]. Die Korrekturlesarten stammen aus der mittel- oder süditalienischen Mischform der Vulgata[145]. Der abrupte

---

[135] Zu den näheren Umständen und zur Person Bezas vgl. vor allem Gregory Textkritik 107.

[136] Das folgende Kapitel wurde auf der Basis: Frede Pls 23 ff konzipiert. Vgl. auch die ausführliche Darstellung von Tischendorf Codex XIX–XXVI.

[137] Wettstein, der a.a.O. 5 deutlich eine Schreiber- und Korrektorenhand differenzieren kann, schreibt a.a.O. 6 einige Korrekturen noch der ersten Hand zu, häufiger aber einer jüngeren; der Korrektor, der Akzente und Spiritus setzte, ließ das Latein unberührt und sei daher leicht zu erkennen. Dabei seien viele alte Lesarten in der Korrektur nach jüngeren Handschriften deformiert worden, dieser zweite Korrektor sei einige Jahrhunderte jünger als der erste. Auch Corssen 2, 16. 25. 26 nimmt mehrere Korrektoren an; die Emendationen stimmen zum Teil mit den besten griechischen Handschriften überein, zum Teil mit gar keiner anderen; die meisten Korrekturen wurden aus Codices übernommen; es wurden griechische und lateinische Handschriften herangezogen.

[138] Gregory Textkritik 106 gibt d**c und d**d undifferenziert als d**d an.

[139] Frede Pls 23.

[140] Ebenda 23: dies geschah noch Ende des sechsten Jahrhunderts; vgl. auch Gregory Textkritik 106; Lowe CLA legt sich nur auf das sechste Jahrhundert fest.

[141] Vgl. Tischendorf Codex XIX und XXV, der diesen Korrektor Db nennt, Frede Pls 24.

[142] Lowe CLA.

[143] Frede Pls 24.

[144] Ebenda 27: textus romanus oder editio romana; siehe dort auch die Charakeristik der Schrift, die von Frede ins sechste Jahrhundert datiert wird.

[145] Vgl. F (und zwar den Ausgangstext, nicht die R-ähnliche Korrekturvorlage) SLM: Frede Pls 27 f; ebenda 28: sie stammt eher aus Süditalien, da in Südgallien ein reinerer Zweig verbreitet war.

Abbruch nach der Verbesserung des Römerbriefs ist eventuell auf eine Ermüdung des Korrektors zurückzuführen[146].

Ebenfalls ins sechste Jahrhundert[147] ist die Eintragung einer westlichen Hand[148], der sogenannte Canon oder Catalogus Claromontanus zu datieren, eine Stichometrie biblischer Bücher in normaler Unzialschrift[149]. Auffällig ist dabei die Anordnung: Vier Spalten Stichometrie werden auf die vier freigebliebenen Seiten hinter Phlm und vor Hbr (467V – 469R) so verteilt, daß auf 468R zwei Spalten untergebracht werden[150] und auf 467V sowie 468V je eine; 469R bleibt frei. Über die Gründe dafür möchte nicht spekulieren.

Frede datiert und lokalisiert den Katalog in die zweite Hälfte des 4. Jh nach Alexandrien aufgrund der darin aufgeführten Apokryphen. Eine Entstehung im Westen würde entweder voraussetzen – falls die Liste nach 400 verfaßt wurde –, daß der Hbr hinter dem Phlm stünde, oder – unter der Annahme einer Entstehung vor 400 –, daß der Kanon im Widerspruch zu allen bekannten westlichen Reihen wäre. Sie ist also nur schwer vorstellbar[151].

Der in der Aufstellung fehlende Hbr ist also sicher nur am Schluß der Gemeindebriefe zusammen mit Phil, 1 und 2 Th mechanisch ausgefallen[152].

Neben dem Muratorischen Fragment ist der Kanon ein weiteres Beispiel für eine östliche Kanonliste in westlichen Codices[153], die hier aus Interesse an der Liste an sich und an der Stichometrie abgeschrieben worden ist[154].

Kurz nach dem Korrektor d*** wurde der ganze griechische Text nach der Koine überarbeitet, der Claromontanus ist somit eine der ältesten Paulus-Handschriften mit Koine-Text überhaupt: D***[155]. In einer gemischten Halbunziale des sechsten Jahrhunderts wurden auf den Blättern 38, 149, 173 mit grauer Tinte einige Korrekturen und liturgische Noten angebracht[156]. An wichtigen liturgischen Tagen las man in beiden Sprachen. Auf den Folien 149 und 173 sind überhaupt die einzigen liturgischen Noten im lateinischen Text zu finden, wobei die Gründonnerstagslesung 1 Cor 11,32 endet und die Osterlesung mit 1 Cor 15,24[157].

Im Laufe des sechsten Jahrhunderts müssen wir im Aufenthaltsgebiet des Claromontanus mit politischen Veränderungen rechnen: nach der Korrektur am Rm (d***) herrschte nur noch die griechische Sprache: ein deutlicher Fingerzeig auf Süditalien[158].

[146] Ebenda 28.

[147] Gregory Textkritik 107: sehr alt, kein Bezug zu 75; Zahn 2,1 172 plädiert für das 3. oder den Anfang des 4. Jh.

[148] Hug a.a.O. 251 dagegen meint, der Canon stamme von der gleichen Hand wie der Hbr, aber von einer anderen als Pls.

[149] Lowe CLA; Frede Pls 25: manche Buchstaben sind ähnlich denen im Fuldensis.

[150] Auf Folie 468R hat die Kolumne eine Zeile mehr, also 22.

[151] Frede Col 294; bereits Zahn 2,1 171 tritt für den Osten ein, vgl. auch Zahn 1,1 28: der Kanon wird zu Unrecht dem Afrika des 3. Jh zugewiesen. Eine andere Position hält Finegan a.a.O. 98: Der Kanon geht auf ein griechisches Original um 300 zurück.

[152] Frede Col 294, vgl. bereits Zahn 2,1 171. Westcott a.a.O. 266 setzt den in der Liste erwähnten Barnabasbrief mit dem Hbr gleich, wogegen sich schon Zahn 2,1 170 f wendet.

[153] Sundberg a.a.O. 38.

[154] Ebenda 39; vgl. Frede Col 294: „archivalische Absicht".

[155] Frede Pls 29; von Tischendorf Codex XXIV f wird diese Korrekturschicht ins neunte Jahrhundert datiert.

[156] Lowe CLA.

[157] Frede Pls 24.

[158] Ebenda 29 f; vgl. auch 33.

Noch im sechsten Jahrhundert wurden zwei Blätter (162–163) ersetzt, allerdings ohne den lateinischen Text (1 Cor 14,8 (*si incertam vocem*// . . .)–18 (. . .//*quod omnium vestrum*)); das Pergament stammte ursprünglich aus einer Euripides-Handschrift des vierten Jahrhunderts[159]. Auf 161V finden wir die Notiz ΛΕΙΠΙ ΔΙΦΥΛΛΗΝ in einer Schrift des sechsten Jahrhunderts. Der Ergänzer hatte offenbar kein Interesse mehr an einer Vervollständigung des lateinischen Textes. Der Zeitpunkt des Verlustes ist unbekannt. Sabatier[160] und Wettstein[161] gehen sogar davon aus, daß dieser Abschnitt gar nicht in der ursprünglichen Handschrift war. Auf jeden Fall steht der ergänzte griechische Text in keinerlei Beziehung zum übrigen „westlichen" der Handschrift[162].

Aufgrund dieser Sonderstellung erhielten die betreffenden Blätter in der Pariser Nationalbibliothek die Signatur 107 B. Es ist die letzte feststellbare Bearbeitung des Claromontanus-Textes.

Abschriften existieren nur von dieser letzten Korrekturstufe; von den Zwischenkorrekturen gibt es keine Momentaufnahmen. Nicht für unsere Untersuchung zur Verfügung stehen also 1 Cor 14,8 (*si incertam vocem*// . . .) – 18 (. . .//*quod omnium vestrum*) und außerdem Hbr 13,21 (*quod placeat*// . . .) – Schluß.

Frede unterscheidet bis zu diesem Zeitpunkt zwei Perioden[163]:
a) von der Entstehung bis etwa in die Mitte des sechsten Jahrhunderts befand sich der Claromontanus in einer Umgebung, wo die griechische und die lateinische Sprache gleichberechtigt waren oder das Griechische leicht vorgeherrscht haben sollte;
b) um die Mitte des sechsten Jahrhunderts trat dann das Lateinische völlig zurück.

Gegen Ende des sechsten oder Anfang des siebten Jahrhunderts verlieren wir den Claromontanus vorübergehend aus den Augen.

Wir können seine Spur erst rund 200 Jahre später wiederaufnehmen. Diese Lücke markiert einerseits das Ende aller Korrekturen, andererseits wurde bisher noch keine nachweisbare Kopie des Claromontanus angefertigt. Damit haben wir erst von nun an zu rechnen:

Ungefähr in der zweiten Hälfte des achten Jahrhunderts gelangte die Handschrift in den Nordwesten Frankreichs, wo in der anbrechenden karolingischen Epoche ein starkes Interesse an italienischen Handschriften – und zwar am besten zusammen mit einem griechischen Text – bestand; zu dieser Zeit etwa kam auch der Codex Bezae nach Lyon[164]. Im Mittelalter wurden die bilinguen Codices überhaupt wie eine Reliquie weitergegeben, eine Tatsache, die den Mangel an griechischen Texten deutlich macht[165].

[159] Ein Phaeton-Fragment in Unzialschrift; Wettstein a.a.O. 6: Sophokles-Tragödie.

[160] A.a.O. 591: auch die Verse 34 und 35 fehlen nach seiner Meinung völlig.

[161] A.a.O. 8: nach seiner Vermutung war die für diese Seite vorgesehene Membran einfach zu dünn.

[162] Vgl. Tischendorf Codex XXIV; vgl. Frede Pls 30: eventuell ließ sich ein Koine-Exemplar besorgen.

[163] Frede Pls 31.

[164] Frede Pls 31; vgl. Vogels Harris 275: beide Handschriften waren im neunten Jahrhundert in Frankreich; vgl. Frede 89, 76. Auch die neapolitanische Handschrift, die nach Wearmouth/Jarrow kam, ist unter diesem Aspekt zu sehen: vgl. etwa auch Fischer, Bonifatius, Codex Amiatinus und Cassiodor, in: Biblische Zeitschrift N.F. 6 (1962) 57–79; wiederabgedruckt in: Bonifatius Fischer, Lateinische Bibelhandschriften im frühen Mittelalter, = Vetus Latina. Aus der Geschichte der lateinischen Bibel 11, Freiburg 1985; 9–34.

[165] Frede Pls 91.

Als erstes sicheres Datum dieser dritten Periode in der Geschichte des Claromontanus fassen wir nun die Miszellanhandschrift Leningrad F.v. VI,3 in den Blick, die Ende des achten Jahrhunderts[166] in Corbie entstanden ist und auf Folie 42R den griechischen Text Eph 2,19—22 in lateinischer Umschrift genau nach dem (end-)korrigierten Claromontanus bietet[167]. Auf der Grundlage unter anderem dieser Epistel sollte an Hochfesten, nach dem Vorbild der römischen Papstmesse, die Lesung in beiden Sprachen gehalten werden[168].

In der zweiten Hälfte des neunten Jahrhunderts wurde der sogenannte Codex Sangermanensis (St. Petersburg, Öffentliche M. E. Saltykow-Schtschedrin-Staatsbibliothek F.v. XX Graeco-Latinus; E; VL 76) in einem von Corbie geprägten Bereich geschrieben[169]. Zum Zeitpunkt der Abschrift fehlte im Claromontanus bereits der Teil 1 Cor 14,8—18. Aus der engen Verwandtschaft der altlateinischen Ergänzung dieses Abschnitts in E mit der Handschrift Amiens 87, die unter Abt Maurdramnus (772—781) sicher in Corbie lag, schließt Frede[170] darauf, daß der Sangermanensis ebenfalls in einem Skriptorium mit enger Beziehung zu Corbie entstanden sein muß: diese Ergänzung war wohl der Altlateiner, der von allen zur Verfügung stehenden dem übrigen Claromontanus-Text am nächsten kam. Wenn aber im neunten Jahrhundert der Ersatztext in Corbie war, muß damals auch die Hauptvorlage dort zumindest erreichbar gewesen sein[171]. Eventuell wurde der Claromontanus von Adalhard (780—826) im Zuge einer seiner zahlreichen Italienreisen nach Corbie gebracht.

Daß es sich um eine Abschrift des Claromontanus handelt, ist gesichert[172], die Vorlage wurde bis in die altertümliche Schrift hinein kopiert[173]. Ganz selten nur weichen seine Lesarten vom Claromontanus ab; diese gehen dann regelmäßig mit der Vulgata[174]. Damals besaß der Claromontanus übrigens noch das heute verlorene Blatt mit dem griechischen Rm 1,1-6 und dem Anfang von Vers 7[175].

[166] Nach ders. Th 24 wurde dieser Text erst im 10. Jh eingetragen. Diese Handschrift (CLA XI, 1611) war früher mit der Handschrift F.v. I,12 (CLA XI, 1608—1610) derselben Bibliothek zusammengebunden.

[167] Ders. Pls 46 f; übernommen von Fischer, Bonifatius, Karl der Große, Lebenswerk und Nachleben, hrsg. von Wolfgang Braunfels, Band 2: Das geistige Leben, hrsg. von Bernhard Bischoff, Düsseldorf 1965; 156—216; wiederabgedruckt in: Bonifatius Fischer, Lateinische Bibelhandschriften im frühen Mittelalter, = Vetus Latina. Aus der Geschichte der lateinischen Bibel 11, Freiburg 1985; 101—202; hier: 155.

[168] Fischer Karl 155.

[169] Zu dieser Handschrift vgl. v.a. Frede Pls 34—49 und ders. Th 24 f.

[170] Frede Pls 40 ff; Th 25.

[171] Ders. Pls 45; für den fehlenden griechischen Begleiter war kein vergleichbarer Text zu beschaffen, also wurde ein möglichst ähnlicher Text herangezogen (Pls 38 f).

[172] Wettstein a.a.O. 8; Hug a.a.O. 158; Lagrange a.a.O. 481. Das enge Verhältnis wurde bereits von Sabatier a.a.O. 591 erkannt.

[173] Frede Pls 36.

[174] Ders. Th 25; vgl. ders. Pls 39.

[175] Ders. Pls 32; in der Kopie E ist es noch im adäquaten Text erhalten: dort liegen die Lücken anders.

Die Abschrift berücksichtigte sämtliche Korrekturen des Claromontanus[176] und verbesserte nur dessen offenkundige Fehler[177]. Der Inhalt ist derselbe wie im Claromontanus[178]. Deutlich lassen sich zwei Schreiber unterscheiden, von denen der eine die ersten 68 Folien kopierte[179].

Die Handschrift war in der Folge wie der Claromontanus Fremdeinflüssen ausgesetzt: Verloren gingen die Textteile Rm 8,21−33; 11,15−25; 1 Tm 1,1−6,15; Hbr 12,8−13,25[180], wobei die 1 Tm-Lücke (Folien 143−144) im zwölften Jahrhundert entstand[181] und durch einen Text ganz anderen Typs (Vulgata) rein lateinisch aufgefüllt wurde[182]; ein ähnlicherer griechischer Text war wahrscheinlich nicht zu beschaffen[183]. Rm- und Hbr-Ausfall blieben unersetzt. Halten wir fest, daß wir die 1 Cor-Lücke im Claromontanus durch die Leningrader Handschrift nicht schließen können. Außerdem fehlt Hbr 12,8-Schluß.

Wir können aufgrund der Sachlage vom Sangermanensis her nicht sagen, wann der Claromontanus im Lauf seiner Geschichte sein letztes Blatt verloren hat[184]. Der Sangermanensis ist also nur für die Verse Rm 1,1−7 im Griechischen textkritisch von einem gewissen Wert[185]. Für den lateinischen Claromontanus dagegen bietet er keine Hilfestellung[186].

Die Schreiber verstanden sich eher auf ängstliche Malerei als auf eine fertige Buchstabenschrift[187]; Verwendung fand eine künstliche, stark variierende Unziale mit zahlreichen Abbreviaturen[188]. Die Schreiber waren im Lateinischen eher zuhause als im Griechischen. Ihre Lateinkenntnisse waren korrekter, sie konnten daher auch orthographische Fehler und Versehen der Vorlage verbessern[189].

Wir wissen nicht, wann die Handschrift nach Saint-Germain-des-Prés kam, wo sie in der dortigen Bibliothek die Nummer 31.2 erhielt[190]. Um 1800 gelangte sie schließlich durch Peter Dubrowski nach St. Petersburg[191].

Die von Belsheim veranstaltete Ausgabe der Handschrift ist stark fehlerhaft[192].

[176] Ders. Pls 38; vgl. Soden NT 1937, der aber nur den „größten Teil" der Korrekturen kopiert, Vogels a.a.O. 46: „alte Korrekturen"; ebenda 48: nach 5 von 10 Korrekturen von Claromontanus abkopiert. Tinnefeld a.a.O. 2 schreibt wieder Vogels ab. Dahl a.a.O. 81 folgt Frede Pls.

[177] Frede Th 25; Zimmermann a.a.O. 64 geht sogar so weit, zu sagen, E sei insgesamt eine Verbesserung von D.

[178] Frede Pls 35: alles gleichzeitig geschrieben; LeLong, Jakob, Bibliotheca Sacra, Pars Prima, Paris 1709; hier: 312 behauptet das Fehlen von Hbr.

[179] Sabatier a.a.O. 591; Frede Pls 36, von Th 25 bekräftigt.

[180] Frede Pls 33.

[181] Ebenda 38.

[182] Ders. Th 24.

[183] Ders. Pls 38.

[184] Sabatier a.a.O. 591 nimmt an, sie seien vom Schreiber weggelassen worden.

[185] Frede Pls 49.

[186] Dies gegen Diehl a.a.O. 100, der E offenbar für alle verlorenen D-Blätter heranziehen will.

[187] Hug a.a.O. 252.

[188] Frede Th 25.

[189] Belsheim, J., Epistulae Paulinae ante Hieronymum Latine translatae ex codice Sangermanensi graeco-latino olim Parisiensi nunc Petropolitano, Christiania 1885; hier: 4, Frede Pls 39.

[190] Frede Pls 48; Th 25.

[191] Hug a.a.O. 251; Frede Th 25.

[192] Vgl. Frede Th 25.

3*

Reste einer weiteren Tochterhandschrift des Claromontanus liegen in Marburg (Hessisches Staatsarchiv Best. 147) und Mengeringhausen/Waldeck (Stadtarchiv; VL 83). Das in Mengeringhausen aufgefundene Blatt diente als Umschlag einer Sammlung handschriftlicher Nachrichten der Mengeringhausener Schützengesellschaft im achtzehnten Jahrhundert; das ursprüngliche Folioformat der Handschrift wurde dabei zu einem Quartformat umgebogen[193]. Da der Text: lateinisch Eph 1,5–13; 2,3–11; griechisch Eph 1,13–19; 2,11–18 vielfach schon Worttrennung aufweist, ist die Handschrift sicher nach dem Sangermanensis entstanden[194].

Später wurden noch sechs Blätter im Staatsarchiv Marburg gefunden mit Fragmenten aus 2 Cor und Tt. Wahrscheinlich stammte diese Handschrift des 10. Jh aus Korvey, wohin sie vielleicht während der Regierungszeit der Ottonen aus Corbie oder Umgebung gekommen war[195].

Die von zwei Schreibern, einer für den griechischen Text und einer für den lateinischen[196], abgefaßte Handschrift entspricht in Text und äußerer Anlage vollkommen dem Claromontanus: die griechische Spalte auf der Verso-Seite folgt meist D der letzten Korrekturstufe, die lateinische auf der Recto-Seite 75, abgesehen von zwei Fehlern und den Verbesserungen von offenkundigen Versehen[197].

Der Umfang der Zeilen wurde[198] ebenso übernommen wie die Art der Abschnittseinteilung[199]. Deutliche Hinweise auf die Abhängigkeit können wir auch der Zeilenzahl: 42 Zeilen (= 2 × 21) und der einspaltigen Anlage entnehmen[200].

Die gleiche Lesung wie in Leningrad D.v. VI,3 finden wir auch in der Handschrift Laon, Bibliothèque Municipale 252 aus dem zehnten oder elften Jahrhundert[201]. Aus einem Bibliothekskatalog von Corbie des elften Jahrhunderts wissen wir auch von einer Paulus-Bilingue – wahrscheinlich eine Kopie des Claromontanus – die heute aber verloren ist[202].

Aus Bibliothekskatalogen erfahren wir auch, daß in Bamberg und Fulda Bilinguen lagen, die – zumindest in ihrem griechischen Text – auf eine dem Claromontanus zumindest eng verwandte Handschrift zurückgingen[203].

Irgendwann – der Zeitpunkt ist nicht zu bestimmen – gelangte der Claromontanus dann von Corbie aus etwas nach Süden: nach Clermont bei Beauvais[204], wo er von Beza aufgefunden wurde.

---

[193] Schultze, Victor, Codex Waldeccensis (D^W Paul), München 1904; hier: 5, Format: 36,8 × 22 cm.

[194] Ebenda 21; Frede Pls 47: nimmt das 10. Jh an gegenüber Diehl a.a.O. 11 (11. Jh).

[195] Frede Th 29.

[196] Schultze a.a.O. 21 f.

[197] Frede Pls 48.

[198] Schultze a.a.O. 5.

[199] Ebenda 18.

[200] Ebenda 5 beschreibt die angesprochenen Phänomene vollständig.

[201] Frede Pls 46.

[202] Ebenda 44. Dahl a.a.O. 97 nimmt dagegen an, daß keine Claromontanus-Kopie, sondern eine revidierte Version vorliegt.

[203] Frede Pls 90; Diehl a.a.O. 120 f berichtet zudem von einer 1483 verschollenen Pls-Bilingue.

[204] Ebenda 45; vgl. aber auch Wettstein a.a.O. 3 und Tischendorf Codex XXVII, die den Codex in Lyon oder Cluny lokalisieren wollen.

„LINGUISTICALLY QUITE UNLIKE" (CLARK)?

Vorüberlegungen

Grundgedanke der nachfolgenden Wortuntersuchung ist zunächst die Annahme, daß ein Übersetzer in aller Regel zur Wiedergabe ein und desselben
Begriffes in einem vergleichbaren Kontext dieselbe Entsprechung wählt. Auf
festerem Boden bewegen wir uns dann, wenn wir den Umkehrschluß ziehen,
konkret: Sollten wir feststellen, daß derselbe griechische Begriff im Hbr
deutlich und durchgängig anders wiedergegeben wird als in Pls, können wir —
sofern dies gehäuft der Fall ist — darauf schließen, daß *zumindest ein* zweiter
Übersetzer am Werk war.

In Versionen kann man sogenannte „renderings" unterscheiden, alternative Wiedergaben für ein
und dasselbe griechische Wort: die Übersetzung hat Farbe. Das Original dagegen ist „farblos"[205],
im Bereich des Wortschatzes werden nur die groben Unterscheidungen der „readings" getroffen[206]. Bei Versionen ist das Alter und die Herkunft einer Handschrift demnach leichter zu
bestimmen, denn eine ganze Palette von Wiedergabemöglichkeiten macht es möglich, den Grad
der Verwandtschaft von Übersetzungen desselben Textes exakt zu bestimmen[207].

Das vergleichbare und damit beurteilungsfähige Wortmaterial der Pariser
Handschrift wird in fünf Schritten aufbereitet:

*1. Schritt: Das lateinische Wortmaterial wird einem griechischen Text „zuge-
ordnet"*

Der geplante Wortschatzvergleich läßt sich nur anstellen, wenn man auf den
lateinischen Text des Claromontanus als Vergleichsgrundlage einen griechi-

---

[205] Vogels, Heinrich Josef, Übersetzungsfarbe als Hilfsmittel zur Erforschung der neutestamentlichen Textgeschichte, in: Revue Bénédictine 40 (1928) 123–129; hier: 123; vgl. Vogels
HB 77.
[206] Wordsworth-Sanday-White a.a.O. XLII.
[207] Vogels Farbe 124.

schen Basistext anlegt: nur so ist es möglich, die auf dasselbe griechische Wort bezogenen Analoga herauszufiltern.

Im Idealfall wäre dies die griechische Vorlage von 75; nun aber war die griechische Textgrundlage von 75 dem Text von D zwar ähnlich, aber nicht damit identisch; dies läßt sich aus einem Vergleich der beiden Kolumnen mit Sicherheit sagen[208]. Allerdings wurde der zu untersuchende Text 75 sicher in einem Vorgänger des Claromontanus von Seiten des griechischen Begleiters verändert, und umgekehrt.

Mit den Assimilations-Maßnahmen innerhalb des Claromontanus hat sich vor allem H.J. Vogels befaßt[209], der Schriftbildstörungen daraufhin untersuchte, ob Aussagen über die Vorgänger von 75 und D zu gewinnen sind.

Darüber hinaus gestattete sich der Schreiber oder der Editor Übersetzungsfreiheiten unter anderem im Umgang mit der Wortstellung, den Partikeln, dem Singular-Plural-Verhältnis, beim Superlativ anstelle des Positivs[210], lateinischen Konstruktionen, schwierig wiederzugebenden Wörtern[211], der stilistischen Gestaltung, speziellen Bedeutungen im Spätlatein, naheliegenden Zusätzen[212], der Auslassung von schwer wiederzugebenden Wörtern[213]. Häufig werden die Numeri vertauscht; ebenso leistete sich der Schreiber oft Freiheiten in der Auslassung der Kopula, sowie bei καί und τέ; willkürlich verfuhr er mit Partikeln, wie er auch δέ oft unübersetzt ließ oder gar sinnwidrig widergab[214].

Die 26. Auflage des Nestle-Aland fand zwar teilweise starken Widerspruch[215]. Abgesehen von allen möglichen Nachteilen, die für unsere Untersuchung aber nicht ins Gewicht fallen, bietet NA[26] jedoch den großen Vorteil, ihren Text über Spezialübersichten und Konkordanzen bequem zugänglich zu machen[216].

---

[208] Gregory Textkritik 106: 75 ist nicht immer von D abhängig; vgl. Gregory Prolegomena 419; Harnack Hbr 201: 75 ist von D in der Regel selbständig; Diehl a.a.O. 106: 75 und D sind nicht kongruent, Schäfer Hbr 11 und 41 nennt beide Texte „dem Textcharakter" nach verschieden; Vogels HB 47: D und 75 sind weniger eng verknüpft als der Lateiner und der Grieche im Codex Bezae, Zimmermann a.a.O. 47: 75 stammt nicht unmittelbar aus D; Tinnefeld a.a.O. 7 f weist für 1 Tm nach, daß 75 nicht aus D übersetzt wurde; Dahl a.a.O. 82: der Grieche ist ähnlich, aber nicht gleich dem Lateiner.

[209] Harris.

[210] Vgl. Schäfer Hbr 50.

[211] Z.B. μελλειν.

[212] + esse oder Objekte.

[213] Die ganze Aufzählung wurde entnommen: Fischer NT 268 f.

[214] Vgl. zu den letztgenannten Phänomenen Schäfer Hbr 49 f.

[215] Als jüngstes mir bekanntes Beispiel nenne ich Borger, Rykle, NA[26] und die neutestamentliche Textkritik, in: Theologische Rundschau 52 (1987) 1–58.

[216] Computer-Konkordanz zum Novum Testamentum Graece von Nestle-Aland, 26. Auflage und zum Greek New Testament, 3rd Edition, herausgegeben vom Institut für Neutestamentliche Textforschung und vom Rechenzentrum der Universität Münster unter besonderer Mitwirkung von H. Bachmann und W.A. Slaby, Berlin/New York ²1985. Aland, Kurt, Vollständige Konkordanz zum Griechischen Neuen Testament, Band 2: Spezialübersichten, Berlin/New York 1978.

Lateinische Übersetzungen, die sich sicher auf ein von NA[26] abweichendes „reading" zurückführen lassen, gehen in das Ergebnis nicht ein. Die abweichende griechische Lesart wird mit ihren wichtigsten Bezeugungen notiert, wobei die Aufzählung der bezeugenden Handschriften den Angaben der achten Auflage des Tischendorf'schen NT's, der Ausgabe von Sodens und NA[26] folgt. E wird dabei nicht angegeben, wenn schon D die Lesart hat. D(E)FG stehen stets am Anfang der Aufzählung. Vollständigkeit wird allerdings nicht angestrebt.

Die Verszählung geschieht ebenfalls nach NA[26]; Abweichungen in der Vulgata werden ebensowenig genannt wie Umstellungen innerhalb von D im Vergleich zu NA[26].

Dem gewählten Vergleichstext wird nun der lateinische Text des Claromontanus gegenübergestellt: jedem griechischen Wort wird sein lateinisches Äquivalent an allen von 75 belegten Stellen zugeordnet.

2. Schritt: Ein Vergleichraster wird hergestellt

Mit Hilfe der Konkordanz werden die vergleichbaren Vokabeln herausgefiltert, d.h., die Wörter, die sowohl in Pls als auch in Hbr vorkommen: Der Hbr umfaßt insgesamt einen Bestand von 1032 verschiedenen Wörtern; 159 davon stehen nur im Hbr (unter anderem 131 Hapaxlegomena), 180 haben in den Paulinen keinen Beleg.

Aus den so gewonnenen 693 vergleichbaren Lemmata sind nun diejenigen auszumustern, die von vornherein zu der Untersuchung nichts beitragen können:

a) Für den Wortschatz ohne Aussagekraft sind Eigennamen im weiteren Sinn; nicht in die Betrachtung fallen daher die an sich vergleichbaren:
   ἀβραάμ, δαυίδ, ἠσαῦ, θεός, ἰακώβ, ἰερουσαλήμ, ἰησοῦς, ἰσαάκ, ἰσραήλ, κύριος, μωυσῆς, σάρρα, σιών, τιμόθεος, φαραώ, χριστός.

b) In Pls oder Hbr lediglich Auslassungen bieten (unter Einschluß der Lücken in 1 Cor und am Schluß des Hbr):
   ἀνέχεσθαι, ἐνιστάναι, ἐξουσία, πόλεμος.

Ders., Vollständige Konkordanz zum Griechischen Neuen Testament, Band 1: Konkordanz, Berlin/New York 1983.

c) ἄν

d) Auch der bestimmte Artikel bleibt außerhalb der Betrachtung.

e) Folgende umfangreiche Lemmata wurden, um die Untersuchung in überschaubaren Grenzen zu halten, ebenfalls nicht aufgenommen:

διά, εἰς, ἐν;

γάρ, δέ, καί;

μή, οὐ;

εἶναι, πᾶς.

f) Keine Alternativen im Verhältnis zu der großen Masse ihrer Wiedergaben bieten die Personal- und Relativpronomina (einschließlich der Possessiva)[217].

Bei den folgenden Arbeitsgängen geht es zunächst darum, aus der Fülle der Belegstellen eines jeden Lemmas alle die Wiedergaben auszusondern, die das Ergebnis der Wortschatzuntersuchung verfälschen könnten. Dabei sind verschiedene Gründe möglich:

3. Schritt: „Problemfälle" formaler Art werden ausgemerzt

a) Die auffällige Lesart ist höchstwahrscheinlich auf eine abweichende griechische Vorlage zurückzuführen:

1) ἐνεργής	videns	1 Cor 16,9
	manifestus	Phlm 6
	validus	**Hbr 4,12**

Videns und *manifestus* sind Wiedergaben des griechischen Lemmas εναργης. 1 Cor 16,9; Phlm 6 εναργης ist in griechischen Handschriften nicht belegt.

| 2) ἱλαστήριον | propitiator | Rm 3,25 |
| | expiatio | **Hbr 9,5** |

Propitiator ist Wiedergabe von ιλαστηριος.

| 3) λόγιον | eloquium | Rm 3,2 |
| | verbum | **Hbr 5,12** |

Verbum ist wohl eine Angleichung an D: verborum ‹των λογων D.

---

[217] Αυτος, εγω ημεις, ος, συ, υμεις; aufgrund ihres nicht so großen Umfangs wurden αλληλων, αλλος, εαυτου, οσος und οστις untersucht.

4) προσέρχεσθαι adquiescere   1 Tm 6,3
             accedere   **Hbr 4,16; 7,25; 10,1.
                                      22; 11,6; 12,18. 22**

Adquiescit ist die Wiedergabe von προσεχεται (S* 181 1912); vgl. 1 Tm 1,4.

5) τελειότης   unitas   Col 3,14
                   perfectus   **Hbr 6,1**

Unitatis ist Wiedergabe von ενοτητος (D*FG 77); Vgl. Eph 4,3. 13. Hbr 6,1 επι την τελειοτητα – ad perfectum.

6) ὕστερος   novissimus   Tm 4,1
                   postea   **Hbr 12,11**

Novissimis ist die Wiedergabe von εσχατοις (Minuskel 33); vgl. 2 Tm 3,1.

7) φλόξ   flamma   2 Th 1,8
                   urere   **Hbr 1,7**

Ignem urentem ist Wiedergabe von πυρ φλεγον (Minuskel 2344)[218].

b) Die abweichende Hbr-Wahl setzt die Reihe der Singulärlesarten aus Pls fort (diese Liste soll rein formal begründet sein; Bedeutungs-Abweichungen werden hier noch nicht thematisiert):

1) ἀθετεῖν   reprobare   1 Cor 1,19
                   abicere   Gal 2,21
                   irritum facere   Gal 3,15; 1 Tm 5,12
                   spernere   1 Th 4,8. 8
                   relinquere   **Hbr 10,28**

2) (δι'ἣν) αἰτίαν propter quod   2 Tm 1,6
                   ob quam causam   2 Tm 1,12
                   propter quem causam Tt 1,13
                   quam ob causam   **Hbr 2,11**

3) ἄμεμπτος   sine crimine   Phil 2,15; 3,6
                   sine querella   1 Th 3,13
                   culpa vacasset (ην   **Hbr 8,7**
                   αμεμπτος)

4) ἀνάγειν   reducere   Rm 10,7
                   suscitare   **Hbr 13,20**

218 Vgl. Ps 103,4 LXX. Vgl. zu diesem Lemma auch Katz, Peter, Ἐν πυρὶ φλογός, in: Zeitschrift für die neutestamentliche Wissenschaft 46 (1955) 133–138.

5) ἀναιρεῖν	interficere	2 Th 2,8
	retollere	**Hbr 10,9**
6) ἀνιέναι	remittere	Eph 6,9
	deserere	**Hbr 13,5**
7) ἀξιοῦν	dignari	2 Th 1,11
	honorare	1 Tm 5,17
	gloriam consecutus est	**Hbr 3,3**
	(δοξης ηξιωται)	
ἀξιοῦσθαι	deprecari	**Hbr 10,29**
8) ἀπόλαυσις	ad fruendum (εις	
	απολαυσιν)	
	deliciae	**Hbr 11,25**
9) ἀσφαλής	manifestatus	Phil 3,1
	tutus	**Hbr 6,19**
10) ἀφιλάργυρος	non cupidus	1 Tm 3,3
	sine avaritia	**Hbr 13,5**
11) ἀφορᾶν	videre	Phil 2,23
	aspicere	**Hbr 12,2**
12) βεβαίωσις	confirmatio	Phil 1,7
	observatio	**Hbr 6,16**[219]
13) γενεά	generatio	Eph 3,5; Col 1,26
	natio	Phil 2,15
	gens	**Hbr 3,10**
	om.	Eph 3,21[220]
14) δηλοῦν	perferre	1 Cor 1,11
	manifestare	1 Cor 3,13
	significare	Col 1,8; **Hbr 9,8**
	declarare	**Hbr 12,27**
15) διάκρισις	disceptatio	Rm 14,1
	separatio	1 Cor 12,10
	discrimen	**Hbr 5,14**

---

[219] **Hbr 6,16** nach Tischendorf Octava z. St. korrupt; eventuell statt *obfirmatio*.
[220] **Eph 3,21** τας γενεας του αιωνου – et in omnia saecula.

16) διάφορος	differens	Rm 12,6[221]
	praecellens	**Hbr 1,4**
	bonus	**Hbr 8,6**
	varius	**Hbr 9,10**
17) δυναμοῦ-σθαι	confortari	Col 1,11
	evalescere	**Hbr 11,34**
18) ἐγγίζειν	appropiare	Rm 13,12
	accedere	Phil 2,30
	accipere	**Hbr 7,19**
	appropinquare	**Hbr 10,25**
19) ἔκβασις	proventus	1 Cor 10,13
	exitus	**Hbr 13,7**
20) ἐκφέρειν	efferre	1 Tm 6,7
	promere	**Hbr 6,8**
21) ἔνοχος	reus	1 Cor 11,27
	obnoxius	**Hbr 2,15**
22) ἐντρέπειν	confundere	1 Cor 4,14; 2 Th 3,14
ἐντρέπεσθαι	revereri	Tt 2,8
	vereri	**Hbr 12,9**
23) ἐντυγχάνειν	postulare	Rm 8,27; 11,2
	interpellare	Rm 8,34
	exorare	**Hbr 7,25**
24) ἐπικεῖσθαι	incumbere	1 Cor 9,16
	impositum esse	**Hbr 9,10**[222]
25) ἐπισυν-αγωγή	congregatio	2 Th 2,1
	collectio	**Hbr 10,25**
26) ἐπιτυγχάνειν	consequi	Rm 11,7. 7
	petere	**Hbr 6,15**[223]
	potiri	**Hbr 11,33**

---

[221] **Rm 12,6** κατα την χαριν την δοθεισαν ημιν διαφορα – secundum gratiam quae data est nobis diffidentiae (differentiae 75²; differentes 75³).
[222] **Hbr 9,10** επικειμενα – inposita.
[223] **Hbr 6,15** petitus est.

27) ἐρημία	desertum	2 Cor 11,26
	solitudo	**Hbr 11,38**
28) καταβάλλε-	deicere	2 Cor 4,9
σθαι	diruere	**Hbr 6,1**[224]
29) καταβολή	constitutio	Eph 1,4
	origo	**Hbr 4,3; 9,26**
	conceptio	**Hbr 11,11**
30) κα-	ardere	1 Cor 3,15
τακαίεσθαι	cremari	**Hbr 13,11**
31) κατανοεῖν	considerare	Rm 4,19
	intueri	**Hbr 3,1**
	aspicere	**Hbr 10,24**
32) κοίτη	concubitus	Rm 9,10
	cubile	Rm 13,13
	torus	**Hbr 13,4**
33) κομίζεσθαι	ferre	2 Cor 5,10
	consequi	Eph 6,8
	reportare	Col 3,25
	percipere	**Hbr 10,36**
	accipere	**Hbr 11,19. 39**
34) κραυγή	clamor	Eph 4,31
	vox	**Hbr 5,7**
35) λατρεία	obsequium	Rm 9,4; 12,1
	cultura	**Hbr 9,1**
	ministerium	Hbr 9,6[225]
36) λειτουργία	officium	2 Cor 9,12
	servitus	Phil 2,17
	obsequium	Phil 2,30
	ministerium	**Hbr 8,6; 9,21**)

[224] **Hbr 6,1** vgl. Schäfer Hbr 55: καταβαλλεσθαι fälschlicherweise gleichbedeutend mit καταβαλλειν aufgefaßt; die Vulgata wird dabei nach Einsichtnahme in eine griechische Handschrift zu *iacientes* verbessert.

[225] **Hbr 9,6** von einer bewußten Variation möchte ich an dieser Stelle nicht ausgehen.

37) μακροθυμεῖν	patiens esse	1 Cor 13,4
	aequo animo esse	1 Th 5,14
	per patientiam	**Hbr 6,15**
	(μακροθυμησας)	
38) μέμφεσθαι	queri	Rm 9,19
	vituperare	**Hbr 8,8**
39) μήποτε	ne forte	2 Tm 2,25
	ne casu	**Hbr 2,1**
	ne	**Hbr 3,12; 4,1**[226]
40) οἰκουμένη	orbis terrae	Rm 10,18
	creatio	**Hbr 1,6**
	saeculum	**Hbr 2,5**[227]
41) ὁμοιοῦσθαι	similis esse	Rm 9,29
	se similare	**Hbr 2,17**
42) ὀρέγεσθαι	cupere	1 Tm 3,1
	appetere	1 Tm 6,10
	desiderare	**Hbr 11,16**
43) ὁρίζειν	praedestinare	Rm 1,4
	praefinire	**Hbr 4,7**
44) ὀσφῦς	lumbi	Eph 6,14
	semen	**Hbr 7,5**
	uterus	**Hbr 7,10**[228]
45) παιδεύειν	corrumpere	1 Cor 11,32
	corripere	2 Tm 2,25; Tt 2,12
	verberare	**Hbr 12,6. 7**
	erudire	**Hbr 12,10**[229]
παιδεύεσθαι	disciplinam accipere	1 Tm 1,20

[226] **Hbr 9,17** nondum ‹μη τοτε D*Sin*: οτε – dum gleich dahinter.
[227] **Hbr 2,5 75** teilt diese Wahl allein mit Liudprand von Cremona.
[228] **Hbr 7,10** liegt hier eventuell eine sekundäre Angleichung an den Singular im Griechen vor?
[229] **2 Cor 6,9** temptati ‹πειραζομενοι D*FG; trotz der singulären Stellung von erudire ist das Lemma hier belassen worden, da die Bedeutungsschattierungen sich meines Erachtens nicht so stark unterscheiden, daß eine Zuordnung in eine andere Liste sich besser rechtfertigen ließe.

46) παιδίον	puer	1 Cor 14,20
	filius	**Hbr 2,13. 14**
	infans	**Hbr 11,23**[230]
47) πάλαι	olim	2 Cor 12,19[231]
	ante	**Hbr 1,1**
48) πέρας	finis	Rm 10,18
	novissimum	**Hbr 6,16**[232]
49) περιβόλαιον	velamen	1 Cor 11,15
	amictus	**Hbr 1,12**
50) περιποίησις	adoptio	Eph 1,14
	aquisitio	1 Th 5,9
	optio	2 Th 2,14
	renascentia	**Hbr 10,39**[233]
51) πηλίκος	qualis	Gal 6,11
	quantus	**Hbr 7,4**
52) πληροφορία	adimpletio	Col 2,2
	plenitudo	1 Th 1,5
	confirmatio	**Hbr 6,11; 10,22**
53) που	fere	Rm 4,19
	quodam loco	**Hbr 2,6**
	alicubi	**Hbr 4,4**
54) προσέχειν	intendere	1 Tm 1,4; Tt 1,14
	dedere	1 Tm 3,8
	adtendere	1 Tm 4,1. 13
	intueri	**Hbr 2,1**
	praesto esse	**Hbr 7,13**
55) προστίθε- σθαι	poni	Gal 3,19
	fieri	**Hbr 12,19**

---

[230] **Hbr 11,23** Rest von afrikanischem Wortschatz?

[231] **2 Cor 12,19** die Lesart von D: παλιν wird natürlich nicht als ursächlich für den Wechsel in der Wiedergabe angesehen.

[232] **Hbr 6,16** και πασης αυτοις αντιλογιας περας εις βεβαιωσιν ο ορκος – et omnique controversia eorum novissimum in observationem iurandum.

[233] **Hbr 10,39** εις περιποιησιν ψυχης – in renascenti animae. Vgl. vor allem Schäfer Hbr 88: *renascenti(a)*.

56) συντελεῖν	consummare	Rm 9,28
	disponere	**Hbr 8,8**
57) τίκτειν	parere	Gal 4,27
	generare	**Hbr 6,7**
58) τίμιος	pretiosus	1 Cor 3,12
	venerabilis	**Hbr 13,4**
59) τοιγαροῦν	itaque	1 Th 4,8
	ideoque	**Hbr 12,1**
60) τοίνυν	quidem	1 Cor 9,26
	itaque	**Hbr 13,13**
61) τυγχάνειν	ut puta (ει τυχοι)	1 Cor 15,37
	forsitan (τυχον)	1 Cor 16,6
	consequi	2 Tm 2,10
	sortiri	**Hbr 8,6**
	habere	**Hbr 11,35**
62) ὑπενάντιος	contrarius	Col 2,14
	adversarius	**Hbr 10,27**
63) ὑποστρέφειν	reverti	Gal 1,17
	regredi	**Hbr 7,1**
64) φαίνειν	lucere	Phil 2,15
φαίνεσθαι	parere	Rm 7,13; 2 Cor 13,7
	apparere	**Hbr 11,3**
65) φέρειν	afferre	2 Tm 4,13
	ferre	**Hbr 1,3**
	portare	**Hbr 12,20; 13,13**
φέρεσθαι	tendere	**Hbr 6,1**[234]
	intercedere	**Hbr 9,16**
	om.	Rm 9,22
66) φόνος	homicidium	Rm 1,29
	mactatio	**Hbr 11,37**

---

[234] **Hbr 6,1** φερωμεθα – tendamus.

67) φράσσειν	obturare	**Hbr 11,33**
φράσσε-	obstrui	Rm 3,19
σθαι	infringi	2 Cor 11,10
68) χρηματίζειν	vocari	Rm 7,3
	praestare divitias	**Hbr 12,25**[235]
χρηματίζεσθαι		
	respondi	**Hbr 8,5**
	responsum accipere	**Hbr 11,7**
69) χρίειν	unguere	2 Cor 1,21
	linire	**Hbr 1,9**

*4. Schritt: Weitere Bereinigungen des Materials aus „inneren Gründen"
heraus*

a) Nur Schattierungen, die in Pls und Hbr gleichzeitig vorkommen, dürfen in
die Untersuchung einbezogen werden. Keine solche gemeinsame Bedeutung haben folgende Lemmata:

1) ἀπείθεια
diffidentia	Rm 11,30; Eph 2,2; 5,6; Col 3,6
incredulitas	Rm 11,32
contumacia	**Hbr 4,6**[236]

2) ἐκτρέπεσθαι
converti	1 Tm 1,6; 5,15; 2 Tm 4,4
devitare	1 Tm 6,20
errare	**Hbr 12,13**

3) τρόπος
modus[237]	Rm 3,2; Phil 1,18; 2 Th 2,3; 2 Tm 3,8
mores	**Hbr 13,5**

---

[235] **Hbr 12,25** παραιτησαμενοι τον χρηματιζοντα – venia postulantes ab eo praestan-
tem divitias 75.

[236] **Rm 11,32** incredulitatem ‹απιστιαν? vgl. Hbr 4,6; Hbr 4,11 cadat a (b)eritate ‹πεση
της αληθειας D*; αληθεια 75 D steht dabei gegen απειθεια bei LUC (Harnack Hbr 201);
aus dem ursprünglichen *contumaciae* wurde *beritate*; dabei verfuhr 75 nicht ganz konsequent in
Hbr 11,31: *conperibit in fidelibus cum contumacibus; „cum contumacibus"* ist hier Korrektur
(Schäfer Hbr 51). Vgl. auch Tischendorf Octava zu **Hbr 4,6:** απιστια ≙ *incredulitas*
(*infidelitas*); απειθεια ≙ *contumacia*.

[237] **2 Th 2,3** κατα μηδενα τροπον – nullo modo; **2 Th 3,16** loco ‹τοπω A*D*FG 17.
49; **2 Tm 3,8** ον τροπον – quemadmodum.

b) Die Wiedergaben dürfen durch die Konstruktion der einzelnen Textstelle nicht unkenntlich gemacht werden. Bei den folgenden Lemmata ist deshalb ein Vergleich zwischen Pls und Hbr unmöglich:

1) αἱρεῖσθαι
   eligere   Phil 1,22; 2 Th 2,13

   malo   **Hbr 11,25**[238]
   (μαλλον ελομενος)

2) ἄνω
   sursum   Gal 4,26; Col 3,1. 2
   superioris vocationis (της ανω κλησεως) Phil 3,14
   exsurgens (ανω φυουσα) **Hbr 12,15**

3) μέρος
   pars[239]   Rm 11,25; 15,15. 24; 1 Cor 11,18; 13,9. 9.
                    10. 12; 14,27; 2 Cor 1,14; 2,5; 3,10; 9,3; Eph
                    4,16; Col 2,16
   per singulis (κατα μερος) **Hbr 9,5**
   om.   Eph 4,9

4) ὀλίγος
   modicus   2 Cor 8,15; Eph 3,3; 1 Tm 4,8; 5,23
   in tempore paucorum dierum (προς ολιγας ημερας) **Hbr 12,10**

5) συμφέρειν
   expedire   1 Cor 6,12; 10,23; 2 Cor 12,1
   utilitas (προς το συμφερον — ad utilitatem) 1 Cor 12,7
   utile est (συμφερει) 2 Cor 8,10
   meliora (επι το συμφερον) **Hbr 12,10**

c) Bei den übrigen Lemmata, die aus „inneren Gründen" heraus ausgemustert werden mußten, sind diese Gründe jeweils angegeben:

1) ἀπάτη
   seductio   Eph 4,22; Col 2,8; 2 Th 2,10
   error   **Hbr 3,13**

   Vom Sinn her ist dieses Lemma einer Aktiv-Passiv-Aufteilung vergleichbar; daher ist hier keine Aussage darüber möglich, ob *error seductio* ersetzen kann.

[238] **Hbr 11,25** vgl. auch V: *magis eligens.*
[239] **1 Cor 12,27** ex membro ‹εκ μελους D*.

4

2) ἀπολείπειν

relinquere	2 Tm 4,13. 20; Tt 1,5
superesse	**Hbr 4,6**
restare	**Hbr 4,9; 10,26** [240]

Der Hbr bietet im Gegensatz zu den Paulinen ein abweichendes Passiv durch ein anderes Wort, nicht nur durch die entsprechende Form.

3) ἔξω

| foris | 1 Cor 5,12. 13; 2 Cor 4,16; Col 4,5; 1 Th 4,12 |
| extra | **Hbr 13,11. 12. 13** |

In den Paulusbriefen finden wir nur die Adverbialform, während in Hbr nur die Präposition auftaucht.

4) πίνειν

| bibere | Rm 14,21; 1 Cor 9,4; 10,4. 4. 7. 21. 31; 11,22. 25. 26. 27. 28. 29. 29; 15,32 |
| sitire | **Hbr 6,7** |

Sitire ist an dieser Stelle ein sachlicher Fehler; vgl. dazu auch Schäfer Hbr 18 f: *vivens* ist vielleicht ein Relikt von *bibens*.

5) πρᾶγμα

negotium	1 Cor 6,1; 2 Cor 7,11; 1 Th 4,6
res	**Hbr 6,18; 10,1; 11,1**
om.	Rm 16,2

Die Verwendung in der Bibel scheint sachlich gebunden zu sein: *negotium* ≙ (Rechts)Geschäft, Angelegenheit; *res* ≙ Ding, Tatsache.

6) πρόθεσις

| propositum | Rm 8,28; 9,11; Eph 1,11; 3,11; 2 Tm 1,9; 3,10 |
| propositio | **Hbr 9,2** |

Die Hbr-Stelle bewegt sich eindeutig und als einzige in liturgischem Zusammenhang.

---

[240] **Hbr 4,6** απολειπεται τινας − superest reliquos; **Hbr 4,9; 10,26** απολειπεται − restat.

7) τε

et	Rm 1,20; **Hbr 6,4. 5**
quoque	1 Cor 4,21; Eph 3,19; **Hbr 2,4; 9,19**
-que	**Hbr 4,12; 11,32**
om.	Rm 1,12. 14. 14. 16. 26; 2,9. 10. 19; 3,9; 7,7; 10,12; 14,8. 8. 8. 8; 16,26; 1 Cor 1,24. 30; 2 Cor 10,8; 12,12; Phil 1,7; **Hbr 1,3; 2,11; 5,1. 7. 14; 6,2. 2. 19; 8,3; 9,1. 2. 9; 10,33; 12,2**

Die große Zahl an Auslassungen und der im Claromontanus ohnehin recht sorglose Umgang mit Konjunktionen[241] lassen es nicht ratsam erscheinen, dieses Lemma als Argument für eine linguistische Differenz zwischen Pls und Hbr heranzuziehen.

5. Schritt: Die Darstellung der beurteilungsfähigen Lemmata

a) Grundsätzliches:

Die verbliebenen Lemmata sind zahlreich genug, um ein sicheres Ergebnis zu ermöglichen.

Entscheidend für unsere Fragestellung ist der Anteil der Lemmata dieses Restvolumens, die im Hbr sicher wenigstens ein „rendering" bieten, das in den Paulinen nicht verwendet wird. Je höher dieser Anteil ist, desto größer wird auch die Wahrscheinlichkeit, daß der Hbr auf einen anderen Wortschatz hinweist als die dreizehn Paulusbriefe (**Liste Eins**).

Im Anschluß an diese Zusammenstellung sammle ich zum einen die Lemmata, die zwar *formal* zu dieser ersten Liste gehören würden, aus *inhaltlichen* Gründen allerdings kein Indiz für einen verschiedenen Wortschatz sein können; zum zweiten auch die Fälle, bei denen der Hbr zwar keine besonders abgehobene Wahl, wohl aber die deutliche Präferenz eines auch von den Paulinen belegten Wortes zeigt (**Liste Zwei**).

Dieser Abschnitt der Untersuchung schließt mit einer Auflistung der restlichen beurteilungsfähigen Lemmata (**Liste Drei**).

---

[241] **Rm 1,27** autem ‹δε D*GAP 33. 104; **Rm 14,8. 8. 8. 8; 2 Cor 10,8** vgl. ει; generell gilt: και und τε werden im Claromontanus nach Belieben ein- und ausgewechselt (Schäfer Hbr 50).

4*

b) Erwähnenswertes der Darstellung:

Die Analoga werden, soweit möglich, auf die Form des Lemmas zurückge-
führt; ansonsten ist die adäquate griechische Form extra ausgewiesen.

Eine Unterbrechung der jeweils ins Auge gefassten Textphrase durch
anderen Text wird nicht angezeigt (...).

In den vorangegangenen Arbeitsschritten wurden die Wiedergaben aussor-
tiert, die zu dieser Untersuchung nichts beitragen oder sogar das Ergebnis
verfälschen können. Sofern diese Bereinigung nicht zur Ausscheidung des
ganzen Lemmas geführt hat, verfahre ich mit diesen Textstellen je nach Liste
auf unterschiedliche Art und Weise:

* Eine verschiedene griechische Vorlage wird ebenso wie
* ein sicher identifiziertes „reading" in den Apparat verwiesen;
* Bedeutungs-Schattierungen verbleiben im Text; in **Liste Eins** und **Zwei**
  sind sie darüberhinaus im Gegensatz zu **Liste Drei** schon durch die
  Anordnung des Lemmas voneinander zu unterscheiden; sie erklären sich
  durch die Wiedergabe von selbst;
* Konstruktionen und Verbindungen, in denen die Wiedergabe eines einzelnen Lemmas aufgeht, werden in den ersten beiden Listen mit Angabe der
  griechischen Vorlage in den Haupttext genommen, in der dritten Liste
  stehen sie in der Unterzeile.

c) Einschränkungen:

Die Themenstellung beschränkt das Material auf die erste Textschicht des
Claromontanus; Korrekturen werden daher in den folgenden Listen nur
sporadisch als gelegentliche Erläuterungen besonderer Entwicklungen erwähnt. Auf die Möglichkeit, daß eine verschiedene Zeitstufe im Griechischen
eine andere Wiedergabe bewirkt, konnte ich in dieser Untersuchung nicht
eingehen.

Die Fülle des Materials macht es auch unmöglich, auf denkbare sachliche
oder grammatikalische Gründe für abweichende Analoga systematisch einzu-
gehen.

Präpositionen werden nicht auf ihre verschiedenen Kasus verteilt: es hat
sich an Stichproben gezeigt, daß dadurch das Lemma in keine andere Liste
einsortiert werden sollte; die Übersichtlichkeit der Darstellung leidet sonst
unnötig.

Lediglich Aktiv-Passiv-Unterscheidungen werden gegebenenfalls in der entsprechenden vom Lemma abweichenden Form etikettiert.

Die beiden Lücken im Claromontanus (1 Cor 14,8-18, Hbr 13,21-25) werden nicht mehr weiter beachtet, die betreffenden Stellen bei den Analoga weggelassen.

Phil und Col werden in dieser gewohnten Reihenfolge des NA[26] aufgezählt und nicht in der des Claromontanus.

d) Orthographika:

Unter dem Begriff „Wortschatz" verstehe ich grundsätzlich nicht den Befund von 75; dieser hat nur Verweisfunktion in Bezug auf den dahinterstehenden Übersetzer oder Editor. Daher nehme ich auch keine Rücksicht auf Orthographika, Erweiterungen oder sonstige aus der individuellen Textstelle heraus erklärbaren Besonderheiten.

Besonderheiten der Schreibung sind nicht wichtig; um ganz davon unabhängig zu sein, habe ich − außer in wörtlichen Zitaten des Claromontanus − die Schreibweise „normalisiert" (Bsp.: *quodtidie* wird als *cottidie* aufgeführt). Orthographika werden grundsätzlich nur in Fällen aufgeführt, wo von der Schreibung her auf mehrere lateinische Vokabeln geschlossen werden könnte.

Die griechische Orthographie in D bleibt völlig außer Betracht.

Die Wortlisten

1. Liste Eins: deutliche Hinweise auf einen abweichenden Wortschatz im Hbr

An dieser Stelle habe ich bereits im Vorgriff auf das dritte Kapitel als Kommentare zu einzelnen Lemmata Forschungserträge mit aufgeführt, die zu anderen biblischen Büchern erarbeitet wurden[242]. Der Wortschatz wird in diesen Untersuchungen vor allem unter dem Gesichtspunkt der Scheidung in „afrikanische" und „europäische" Vokabeln analysiert, wobei „afrikanisch" im allgemeinen bedeutet, daß Cyprian das entsprechende Wort verwendet. Die Auswahl ist unter dem Gesichtspunkt getroffen, ein möglichst weites erstes Bild von der anderweitigen Verwendung der besonderen Wiedergaben des Hbr zu vermitteln. Eine vollständige Bestandsaufnahme der jeweiligen Forschungslage konnte bei der Fülle des Materials nicht angestrebt werden. Ἀγάπη, ὅσιος und τύπος werden im Schlußabschnitt des dritten Kapitels ausführlich besprochen.

---

[242] Über die bereits zitierten Arbeiten hinaus finden in den Anmerkungen folgende Werke häufiger ihren Niederschlag: Burkitt, F. C., The Old Latin and the Itala, in: Texts and Studies 4 Nr. 3, Cambridge 1896. Soden, Hans von, Das lateinische Neue Testament in Afrika zur Zeit Cyprians, Texte und Untersuchungen zur Geschichte der altchristlichen Literatur 33. Band, Leipzig 1909. De Bruyne, Donatien, Quelques Documents Nouveaux pour l'Histoire du Texte Africain des Évangiles, Revue Bénédictine 27 (1910) 273–324, 433–446. Ders., Étude sur le Texte Latin de la Sagesse, Revue Bénédictine 41 (1929) 101–133. Ders., Les anciennes traductions latines des Machabées, Anecdota Maredsolana 4; Maredsous 1932. Capelle, Bernard, Le Texte du Psautier Latin en Afrique, Collectanea Biblica Latina 4, Rom 1913. Ders., L'Element Africain dans le Psalterium Casinense, Revue Bénédictine 32 (1920) 113–131. Vogels, Heinrich Josef, Untersuchungen zur Geschichte der lateinischen Apokalypseübersetzung, Düsseldorf 1920. Matzkow, Walter, De vocabulis quibusdam Italae et Vulgatae christianis quaestiones lexicographae, Berlin 1933 (Diss.). Schildenberger, Johannes, Die altlateinischen Proverbien, Beuron 1934 (Diss.), der erste Teil liegt gedruckt vor in: die altlateinischen Texte des Proverbien-Buches, Teil 1: die alte afrikanische Textgestalt, (= Texte und Arbeiten 1. Abteilung, Heft 32–33), Beuron 1941. Thiele, Walter, Untersuchungen zu den altlateinischen Texten der drei Johannesbriefe, 1956 (ungedruckte masch. Diss.). Ders., Wortschatzuntersuchungen zu den lateinischen Texten der Johannesbriefe, = Vetus Latina. Aus der Geschichte der lateinischen Bibel 2, Freiburg 1958. Ders., Die lateinischen Texte des 1. Petrusbriefes, = Vetus Latina. Aus der Geschichte ... 5, Freiburg 1965.

1) ἀγάπη
   caritas

Rm 5,5. 8; 8,35. 39; 14,15; 15,30; 1 Cor 4,21;
8,1; 13,1. 2. 3. 4. 4. 4. 8. 13. 13; 14,1; 16,14.
24; 2 Cor 2,4. 8; 5,14; 6,6; 8,7. 8. 24; 13,11.
13; Gal 5,6. 13. 22; Eph 1,4. 15; 2,4; 3,17.
19; 4,2. 15. 16; 5,2; 6,23; Phil 1,9. 16; 2,1. 2;
Col 1,13; 2,2; 3,14; 1 Th 1,3; 3,6. 12; 5,8. 13;
2 Th 1,3; 2,10; 3,5; 1 Tm 1,5; 2,15; 4,12;
6,11; 2 Tm 1,7; 2,22; 3,10; Tt 2,2; Phlm 5. 7.
9

   dilectio

Rm 12,9; 13,10. 10; Col 1,4. 8; 1 Tm 1,14;
2 Tm 1,13

   amor   **Hbr 6,10; 10,24**

2) ἁγιασμός
   sanctificatio

Rm 6,19. 22; 1 Cor 1,30; 1 Th 4,3. 4. 7; 2 Th
2,13; 1 Tm 2,15

   sanctimonium   **Hbr 12,14**

3) ἀδικία
   iniustitia   Rm 1,18. 18
   iniquitas   Rm 1,29; 2,8; 3,5; 6,13; 9,14; 1 Cor 13,6;
2 Th 2,10. 12[243]; 2 Tm 2,19

   iniuria   2 Cor 12,13
   malitia   **Hbr 8,12**

4) ἀδύνατος
   impossibilis[244]   Rm 8,3; **Hbr 6,18**

   infirmus   Rm 15,1
   difficilis   **Hbr 6,4; 10,4**
   non potuit (αδυνατον) **Hbr 11,6**

---

[243] **2 Th 2,12** inquinati.

[244] **Hbr 6,4, 10,4** *difficilis* wird von Schäfer Hbr 41 als eine abschwächende dogmatische
Korrektur gegen Novatianer und Montanisten gesehen, was eine Entstehung der Lesart im 3. Jh
anzeigen würde. Zuntz a.a.O. 164 verlangt, die Entstehung dogmatischer Korrekturen in die Zeit
der jeweiligen dogmatischen Streitigkeiten zu legen. Vgl. dagegen aber Frede Hbr 1036: *difficile*
hat hier vielleicht die Bedeutung von *quod fieri non potest*. **Hbr 11,6** bezieht *non potuit* den Satz
nur auf Henoch, von der Vulgata (*inpossibile*) wird in diesem Fall der Sinn besser erfaßt (Schäfer
Hbr 56).

5) αἰών

saeculum[245]	Rm 1,25; 9,5; 11,36; 12,2; 16,27; 1 Cor 1,20; 2,6. 6. 7. 8; 3,18; 10,11; 2 Cor 4,4; 11,31; Gal 1,4. 5. 5; Eph 1,21; 2,2. 7; 3,9. 11. 21. 21; Phil 4,20. 20; Col 1,26; 1 Tm 1,17. 17. 17; 6,17; 2 Tm 4,10. 18. 18; Tt 2,12; **Hbr 1,2; 6,5; 9,26; 11,3; 13,8**
aeternum	1 Cor 8,13; 2 Cor 9,9; **Hbr 1,8. 8; 5,6; 7,24. 28**
perpetuum	**Hbr 6,20; 7,17. 21**

Aeternum und *perpetuum* begegnen nur in der Formel *in aeternum/perpetuum* als Wiedergabe von εις τον αιωνα; *saeculum* finden wir sowohl in dieser Verbindung als auch in absolutem Gebrauch. Eine Aufteilung des Analogons *saeculum* ist nach dieser Sachlage unnötig.

6) ἀληθινός

verus	1 Th 1,9; **Hbr 8,2**
veritatis (των αληθινων)	**Hbr 9,24**[246]
certus	**Hbr 10,22**

7) ἀλλότριος

alienus	Rm 14,4; 15,20; 2 Cor 10,15. 16; 1 Tm 5,22; **Hbr 9,25; 11,9**
exterus	**Hbr 11,34**

Für den Heptateuch ist festzuhalten: AU hat in Ex zweimal *exterus*[247]. *Alienus* ist in der alten Textgestalt der Prv neben *extraneus* möglich: 5,17 AM AU *alienus*, 23,33 AM *alienus*[248]. CY belegt hier einmal *alienus* (ep 70 zu Prv 9,18c).
Exterus ist eventuell etwas jünger.

8) ἀνάμνησις

commemoratio	1 Cor 11,24. 25
memoratio	**Hbr 10,3**

---

[245] **Rm 16,27** in saecula saeculorum ‹εις τους αιωνας των αιωνων DSin AP 81; es ist also nicht mit **Gal 1,5. 5; Eph 3,21. 21; Phil 4,20, 20; 1 Tm 1,17. 17; 2 Tm 4,18. 18; Hbr 1,8. 8** vergleichbar.
[246] **Hbr 9,24** veritatis.
[247] Billen a.a.O. 196.
[248] Schildenberger a.a.O. 163 f.

9) ἀνάστασις

| resurrectio | Rm 1,4; 6,5; 1 Cor 15,12. 13. 21. 42; Phil 3,10; 2 Tm 2,18; **Hbr 6,2; 11,35** |
| surrectio | **Hbr 11,35**[249] |

10) ἀνομία

| iniquitas[250] | Rm 4,7; 6,19. 19; 2 Cor 6,14; 2 Th 2,7; Tt 2,14; **Hbr 1,9** |
| scelus | **Hbr 10,17** |

11) ἀνταποδιδόναι

| retribuere | Rm 11,35; 12,19; 1 Th 3,9; 2 Th 1,6 |
| reddere | **Hbr 10,30** |

12) ἀόρατος

invisibilis   Rm 1,20; Col 1,15. 16; 1 Tm 1,17

hunc quod non aspiciebat (τον αορατον) **Hbr 11,27**

13) ἀποθνήσκειν

| mori[251] | Rm 5,6. 7. 7. 8. 15; 6,2. 7. 8. 9. 10. 10; 7,2. 3. 10; 8,13. 34; 14,7. 8. 8. 8. 9. 15; 1 Cor 8,11; 9,15; 15,3. 22. 31. 32. 36; 2 Cor 5,14. 14. 15. 15; 6,9; Gal 2,19. 21; Phil 1,21; Col 2,20; 3,3; 1 Th 4,14; 5,10; **Hbr 7,8; 9,27; 10,28; 11,21. 37** |
| defungi | **Hbr 11,4. 13** |

14) ἀποκεῖσθαι

| repositum esse | Col 1,5; 2 Tm 4,8 |
| statutum esse | **Hbr 9,27** |

[249] **Hbr 11,35** vielleicht wurde hier nur eine *variatio* angestrebt.
[250] **2 Th 2,3** peccati ‹της αμαρτιας DFGAKLPΨ 104. 1739. 1912.
[251] **Rm 7,6** mortis ‹του θανατου DFG.

15) ἄχρι
    usque   Rm 1,13; 8,22; Phil 1,5
    usque ad   Rm 5,13; 2 Cor 10,13. 14; Gal 4,2; **Hbr 4,12**
    donec[252]   Rm 11,25; 1 Cor 11,26; 15,25; **Hbr 3,13**
    usque in   1 Cor 4,11; 2 Cor 3,14; Phil 1,6
    quoadusque   Gal 3,19
    in   **Hbr 6,11**

16) βέβαιος
    firmus   Rm 4,16; 2 Cor 1,7; **Hbr 3,14**
    certissimus   **Hbr 2,2**
    fortissimus   **Hbr 6,19**
    confirmatur (βεβαια) **Hbr 9,17**

17) βέβηλος
    profanus   1 Tm 1,9; 4,7; 6,20; 2 Tm 2,16
    pollutus   **Hbr 12,16**

18) βουλή
    consilium   1 Cor 4,5; Eph 1,11
    voluntas   **Hbr 6,17**[253]

Die Proverbien weisen 2,11 eine Dublette auf: *consilium* ist die zweite Übersetzung zusätzlich zum ursprünglichen *voluntas*[254].

19) γεννᾶν
    gignere   1 Cor 4,15; Phlm 10; **Hbr 5,5**
    generare   Gal 4,24; 2 Tm 2,23; **Hbr 1,5**
    γεννάσθαι
    nasci   Rm 9,11; Gal 4,23. 29; **Hbr 11,23**
    oriri   **Hbr 11,12**[255]

In den Psalmen bietet CY *generare* gegen das *gignere* der „Nichtafrikaner"[256]. In den Evangelien verwenden die Itala-Hss *renasci* außer 10 14 *nasci*.

[252] **Rm 11,25; 1 Cor 11,26; 15,25; Hbr 3,13** αχρι ου – donec; **Gal 3,19** αχρι ου – quoadusque.
[253] Vgl. Harnack Hbr 204; 207: **Hbr 6,17** ist *nobilatis* als eine fehlerhafte Schreibung von *voluntatis* zu sehen; vgl. auch Schäfer Hbr 31: es ist nach AM zu *voluntatis* zu verbessern.
[254] Schildenberger a.a.O. 71 und 84.
[255] Schäfer Hbr 108–110: zu **Hbr 11,12** ist zu erfahren, daß die sonst nicht belegte Lesart 65 *ornati* eine „Mißgeburt" aus *orti* (V ‹εγενηθησαν) und *nati* (‹εγεννηθησαν) sei.
[256] Capelle Pss 30: *gignere* ist gegenüber *generare* sekundär; vgl. auch Capelle Pss 7, 8, 15. 16, 89, 104.

20) γυμνάζειν

exercere   1 Tm 4,7

exercitare   **Hbr 5,14; 12,11**

21) δέησις

obsecratio   Rm 10,1; 2 Cor 9,14; Eph 6,18; Phil 1,19; 1 Tm
                       2,1

oratio   2 Cor 1,11; Phil 1,4. 4; 1 Tm 5,5; 2 Tm 1,3

observatio   Eph 6,18[257]

precatio   Phil 4,6

preces   **Hbr 5,7**

In den Psalmen ist sowohl in den altlateinischen Psalterien wie auch im Gallicanum *preces* die gewöhnliche Übersetzung, während in alten Teilen von Sirach (4,6; 35,13. 16) *precatio* begegnet; 1 Mcc 11,49 bezeugt die alte Textform **L** *cum precibus*, andererseits belegt dieselbe Form in 1 Mcc 3,37 *obsecratio* und 2 Mcc 1,5 sowie 10,27 *oratio*[258]. Das NT bietet in Afrika einheitlich *oratio* (2: Lc 1,13; 2,37; 5,33; CY: Lc 2,37; Act 1,14)[259]; es herrscht die zunehmende Tendenz, *oratio* zurückzudrängen, wobei beispielsweise die hauptsächliche Wiedergabe der drei Lukas-Stellen oben in den europäischen Texten *obsecratio* ist; eine Fülle an Übersetzungsmöglichkeiten begegnet in allen Altersschichten[260]: so bietet die Vulgata neunmal *obsecratio*, dreimal *deprecatio*, zweimal *preces* und immer noch fünfmal das „afrikanische" *oratio*[261].

22) διαμαρτύρεσθαι

testificari   1 Th 4,6; 2 Tm 2,14; 4,1

testari   1 Tm 5,21

contestari   **Hbr 2,6**

23) διέρχεσθαι

pertransire[262]   Rm 5,12; 1 Cor 16,5

transire   1 Cor 10,1; 16,5

egredi   **Hbr 4,14**

---

[257] Der Gedanke an eine Abwechslung zu *obsecratio* im selben Vers ist nicht auszuschließen.
[258] Thiele Ptr 177.
[259] Vgl. CY zu **Is 1,15** und **Jr 11,14**: *preces* (ebenda 177).
[260] Ebenda 177.
[261] Vgl. hier insgesamt zum NT: vSoden Cyprian 329.
[262] **2 Cor 1,16** proficisci ‹απελθειν D*FGACP 365. 436. 1319.

24) διό

propter quod
Rm 1,24; 15,7. 22; 1 Cor 12,3; 2 Cor 2,8; 4,13. 13; 6,17; 12,10; Eph 3,13; 4,8. 25; 5,14; Phil 2,9; 1 Th 3,1; 5,11; Phlm 8; **Hbr 3,7; 11,12; 12,12; 13,12**

propterea
Rm 2,1; 2 Cor 4,16

ideoque
Rm 4,22; 13,5; **Hbr 10,5**

itaque
Gal 4,31; **Hbr 12,28**

ideo
Hbr 3,10; 11,16[263]

igitur
Hbr 6,1

om.
2 Cor 1,20; 5,9; 12,7; Eph 2,11

25) διότι

quia
Rm 1,19; 3,20; Phil 2,26; 1 Th 2,8; 4,6

cum
Rm 1,21

quoniam
Rm 8,7; 1 Cor 15,9; 1 Th 2,18

quod
Hbr 11,5. 23 (eo quod)

26) δῶρον

donum
Eph 2,8

munus
Hbr 5,1; 8,3. 4; 9,9; 11,4

Im Heptateuch belegt AM ebenso wie 104 und CY *donum* und *munus;* AU benutzt ebenfalls beide; 100 hat fast immer *munus*[264]; generell gilt aber, daß die Präferenz von *munus* vor *donum* für die späteren Texte charakteristisch ist[265], während *donum* primitiver erscheint[266]. *Donum* ist im afrikanischen NT das geläufige, daneben begegnen wir auch *munus,* das aber in europäischen Texten ebenfalls nicht ungewöhnlich ist[267]. *Munus* ist wohl die jüngere Wahl.

27) ἐγκαταλείπειν

relinquere
Rm 9,29; **Hbr 13,5**

derelinquere
2 Cor 4,9; 2 Tm 4,10. 16

deserere
Hbr 10,25

28) εἰκών

imago
Rm 1,23; 8,29; 1 Cor 11,7; 15,49. 49; 2 Cor 3,18; 4,4; Col 1,15; 3,10

persona
Hbr 10,11

---

[263] **Hbr 11,16** ideo merito.
[264] Billen a.a.O. 16 und 193.
[265] Ebenda 13.
[266] Ebenda 193.

29) εἰσέρχεσθαι

intrare   Rm 5,12; 11,25; 1 Cor 14,23. 24; **Hbr 3,11.**
19; 4,1. 3. 3. 5. 6. 6. 10. 11; 6,20; 9,12. 24.
25

introire   **Hbr 3,18**[268]

incedere   **Hbr 6,19; 10,5**

30) ἐκεῖνος[269]

ille   Rm 6,21; 11,23; 14,14. 15; 1 Cor 9,25; 10,6.
11. 28; 15,11; 2 Cor 7,8; 8,9. 14. 14; Eph
2,12; 2 Th 1,10; 2 Tm 1,12. 18; 2,12. 13; 3,9;
4,8; **Hbr 4,2. 2. 11; 8,7. 10; 10,16; 11,15;**
12,25

ipse   2 Tm 2,26; Tt 3,7

hic   **Hbr 6,7**

om.   2 Cor 10,18

31) ἐκζητεῖν

requirere   Rm 3,11

inquirere   Hbr 11,6[270]; 12,17

32) ἐνδεικνύναι

ostendere   Rm 2,15; 9,17. 22; 2 Cor 8,24; Eph 2,7; 1 Tm
1,16; 2 Tm 4,14; Tt 2,10; 3,2; **Hbr 6,10**

exhibere   **Hbr 6,11**[271]

33) ἐνιαυτός

annus   Gal 4,10; **Hbr 9,7**

singuli anni   **Hbr 9,25; 10,1. 3**

34) ἐντολή

mandatum   Rm 7,8. 9. 10. 11. 12. 13; 13,9; 1 Cor 7,19;
Eph 2,15; 6,2; Col 4,10; 1 Tm 6,14; Tt 1,14;
Hbr 7,5. 16. 18

testamentum   **Hbr 9,19**

om.   1 Cor 14,37

---

[267] vSoden Cyprian 269, 325.
[268] **Hbr 3,18** vgl. Schäfer Hbr 19 f, 24: *introire* ist sekundär zu LUC-Wahl *intrare*.
[269] einschließlich κἀκεινος.
[270] Vgl. Schäfer Hbr 113: **Hbr 11,6**: 65 *exquirere*; 75 **V** *inquirere*; 64 *quaerere*.

35) ἐνώπιον

coram	Rm 3,20; 12,17; 14,22; 1 Cor 1,29; 2 Cor 4,2; 7,12; 8,21. 21; Gal 1,20; 1 Tm 2,3; 5,4. 20. 21; 6,12. 13; 2 Tm 2,14; 4,1
ante	**Hbr 4,13**[272]

Im Heptateuch bevorzugt AU mit 100 in Gn Lv *ante,* verwendet im Gegensatz zu 100 in Nm überhaupt kein *coram,* während er es in Dt Jos bevorzugt[273]. Beide Begriffe sind europäisch gegenüber dem afrikanischen *in conspectu*[274].

Für die Proverbien gilt generell: in afrikanischen Texten sind *coram* und *ante* selten[275]:

Zum neutestamentlichen Gebrauch ist zu sagen, daß CY häufig *in conspectu* verwendet, das in afrikanischen Texten überhaupt herrschend ist, nur in Apc 5,8 benutzt er *ante* (*coram* in Act 10,4; 1 Tm 5,8); 2 verwendet Lc 1,15; 16,152; 24,11 *ante*; Primasius in Apc 3,9; 4,102; 5,8 (gegen *coram* in Apc 3,2. 5; 15,4)[276]. Wie schon im gesamten AT ist auch hier ganz allgemein festzuhalten, daß *in conspectu* der afrikanische Begriff gegen das europäische *ante* oder *coram* ist[277].

Von anderen Wiedergabemöglichkeiten in der Apokalypse einmal abgesehen, verteilen sich die Bezeugungen für *coram* und *ante* wie folgt: V verwendet *coram* acht- und *ante* elfmal, 51 beide je 16 Mal, PRIM *coram* fünf- und *ante* dreimal; TY *coram* vier- und *ante* fünfmal[278], VICn *coram* ein- und *ante* zweimal[279], in der Rezension X bezeugt er *ante* einmal zu 4,10[280].

Ante begegnet uns zwar auch schon in Afrika, ist aber hauptsächlich in „europäischen" Texten verwendet.

36) ἐπαγγελία

promissio[281]	Rm 4,13. 14. 16; 9,8. 9; 15,8; 2 Cor 1,20; 7,1; Gal 3,16. 22. 29; 4,28; Eph 1,13; 2,12; 3,6; 6,2; 1 Tm 4,8; 2 Tm 1,1; **Hbr 6,15; 9,15; 11,9**
repromissio	Rm 4,20; Gal 3,17. 18. 18; 4,23; **Hbr 6,12. 17; 7,6; 8,6; 10,36; 11,9. 13. 17. 33. 39**
promissum	Rm 9,4; Gal 3,21
mandatum	**Hbr 4,1**[282]

[271] Auch an dieser Stelle ist durchaus mit der Möglichkeit einer bewußten Variierung der Wiedergabe mit *ostendere* zu rechnen.

[272] **Hbr 4,13** vgl. προς.

[273] Billen a.a.O. 19 f.

[274] Ebenda 7.

[275] Schildenberger a.a.O. 110.

[276] vSoden Cyprian 145.

[277] vSoden Cyprian 325.

[278] Vogels Apc 86; vgl. 7, 33, 44.

[279] Ebenda 51.

[280] Ebenda 55.

[281] **Gal 3,14** benedictionem ευλογιαν D*FG P[46] 88. 489.

37) ἐπαισχύνεσθαι

erubescere	Rm 1,16; 6,21; 2 Tm 1,8. 16
confundi	2 Tm 1,12

pudet (επαισχυνεται) **Hbr 2,11; 11,16**

38) ἐπεί

alioquin[283]	Rm 3,6; 11,6. 22; 1 Cor 5,10; 7,14; 15,29
ceterum	**Hbr 9,26**
quia	2 Cor 11,18; 13,3; **Hbr 2,14; 4,6; 11,11**
quoniam	**Hbr 5,2. 11; 6,13; 9,17**
nam	Hbr 10,2

39) ἐπιζητεῖν

quaerere	Rm 11,7
requirere	Phil 4,17. 17
inquirere	**Hbr 11,14; 13,14**

40) ἐπιθυμεῖν

concupiscere	Rm 7,7; 13,9; 1 Cor 10,6; Gal 5,17
desiderare	1 Tm 3,1
cupere	**Hbr 6,11**

Zu Mt 13,17 sind folgende Beobachtungen möglich: CY bezeugt zusammen mit 1[284] *concupiscere*, während 2 mit dem Großteil der altlateinischen Handschriften (außer 28) und **V** *cupere* nachweist[285].
Apc 9,6 wird in der lateinischen Übersetzung mit *desiderare, cupere* und *concupiscere* wiedergegeben[286].
Cupere ist nach diesem Befund zwar alt, allerdings nicht unbedingt älter als *concupiscere*.

41) ἐπικαλεῖν

invocare	Rm 10,12. 13. 14; 1 Cor 1,2; 2 Cor 1,23; 2 Tm 2,22
vocare	**Hbr 11,16**

---

[282] **Hbr 4,1** Die Wahl der Vulgata (*pollicitatio*) wurde nach Einsichtnahme in einen guten griechischen Text verbessert (Schäfer Hbr 55).
[283] **1 Cor 5,10; 7,14** επει αρα.
[284] vSoden Cyprian 216; 1 hat hier mit dem Griechischen das Kompositum gegenüber der Simplex-Form.
[285] Ebenda 153, 199.
[286] Vogels Apc 146.

42) ἐπιλαμβάνεσθαι
    apprehendere   1 Tm 6,12. 19; **Hbr 8,9**
    assumere   **Hbr 2,16**
    suscipere   **Hbr 2,16**[287]

43) ἔρημος
    desertum   1 Cor 10,5; Gal 4,27
    solitudo   **Hbr 3,8. 17**[288]

Im Heptateuch verwendet CY häufiger *desertum* als *solitudo;* 100 bezeugt *desertum* in allen Büchern, *solitudo* nur einigemale in Dt Jdc; AU hat *eremus* und *desertum*[289]. Ps 67,8 belegt CY *eremus* gegen die „Nichtafrikaner" mit *desertum*[290].
In Sap 5,7 ist *solitudo* die alte Überlieferung (**K**) gegenüber *(h)eremia* (LUC); die Vulgata hat 11,2 *desertum*[291]. Die alte Textform **L** weist in den Maccabäer-Büchern beide Möglichkeiten nach[292].
Generell gilt im NT: *eremus* und *solitudo* sind afrikanisch, *desertum* ist europäisch[293]: CY weist die ältere Stufe auf mit *solitudo* (Mt 24,26) und *eremus* (Jo 3,14), *desertum* wird von ihm nie gewählt, dafür von 2 regelmäßig; hier finden wir auch *solitudo* (Lc 1,80; 5,16) und *eremus* (Lc 4,1)[294]. Für die Apokalypse sind drei Stellen zu betrachten: 12,6. 14; 17,3. Dabei bietet die Vulgata an der ersten *solitudo,* an den beiden anderen *desertum;* 51 wählt an allen drei Stellen *desertum.* PRIM bezeugt 12,6. 14 *solitudo* und 17,3 *desertum,* während TY stets *(h)eremus* verwendet[295]. VICn schließlich hat in 12,6 *desertum*[296]. *Solitudo* ist deutlich die ältere Wahl.

44) ἐσθίειν
    manducare   Rm 14,2. 2. 3. 3. 3. 3. 6. 6. 6. 6. 20. 21. 23;
                    1 Cor 8,7. 8. 8. 10. 13; 9,4; 10,3. 7. 18. 25.
                    27. 28. 31; 11,20. 21. 22. 26. 27. 28. 29. 29.
                    33. 34; 15,32; 2 Th 3,8. 10. 12
    edere   1 Cor 9,7. 13; **Hbr 13,10**[297]
    percipere   1 Cor 9,7

[287] Die Möglichkeit einer *variatio* ist nicht auszuschließen.
[288] Schäfer Hbr 24: LUC hat **Hbr 3,8** *desertum* und **Hbr 3,17** *solitudo.* Der Wechsel wird hier als sekundär gesehen, 75 als ursprünglich.
[289] Billen a.a.O. 8, 195.
[290] Capelle Pss 31.
[291] Thiele Sap 158.
[292] DeBruyne Mcc XXXIX.
[293] vSoden Cyprian 325; vgl. 345; vgl. auch DeBruyne Ev 309 f.
[294] vSoden Cyprian 141; vgl. 181.
[295] Vogels Apc 89.
[296] Ebenda 51.
[297] **Hbr 13,10** herere, vgl. *hedere* CΣT(-edere *in Rasur*) 78 54*; Harnack Hbr 213 will *herere* nicht als Variante zu *edere* ansehen.

consummare   **Hbr 10,27**

Im Heptateuch belegen 1 104 CY oft *edere* statt *manducare*[298]. *Edere* ist wohl älter als *manducare*[299], dessen Bevorzugung in 100 und 102 auf einen späten Ansatz hinweist[300]. AM belegt nur selten *edere*, während AU im allgemeinen dieses Wort bevorzugt, daneben aber auch *manducare* hat[301].

In den Proverbien belegen 94 95 CY in 25,27 *edere*, FAU-R 167 dagegen *manducare*[302].

Im NT zitiert TE *edere*, in seiner Bibel aber las er *manducare*, das in Afrika herrschend war[303]; bei CY begegnen *edere* und *manducare* gleich häufig[304].

45) εὑρίσκειν

invenire   Rm 4,1; 7,10. 21; 10,20; 1 Cor 4,2; 15,15; 2 Cor 2,13; 5,3; 9,4; 11,12; 12,20. 20; Gal 2,17; Phil 3,9; 2 Tm 1,17. 18; **Hbr 4,16; 11,5; 12,17**

adinvenire   Phil 2,7

reperire   **Hbr 9,12**

46) ζητεῖν

quaerere   Rm 2,7; 10,3. 20; 11,3; 1 Cor 1,22; 4,2; 7,27. 27; 10,24. 33; 13,5; 2 Cor 12,14; 13,3; Gal 1,10; 2,17; Phil 2,21; Col 3,1; 1 Th 2,6; 2 Tm 1,17

inquirere   **Hbr 8,7**

Für das AT kann ich nur einige Bemerkungen zu den Psalmen machen: TE mit CY und anderen Afrikanern bezeugt Ps 33,15 *quaerere* gegen das sonst belegte *inquirere*[305].

Im NT bezeugen CY *quaerere* und 2 *petere* für Lc 12,48, während 2 in Lc 4,42 auch *inquirere* belegt[306].

Inquirere scheint jünger zu sein.

---

[298] Billen a.a.O. 24, 32.

[299] Ebenda 28, 30, 32; vgl. ders. 193: in späteren Texten besteht die Tendenz, *edere* durch *manducare* zu ersetzen.

[300] Ebenda 13, 19, 71, 73.

[301] Ebenda 193; vgl. aber auch ebenda 19, 30, 56, der dies bei AU als afrikanisch sehen will, wozu dann die Wahl von *manducare* in AM 100 eine Modifikation wäre.

[302] Schildenberger a.a.O. 105.

[303] Es hat beispielsweise die Majorität bei 1 2.

[304] Vgl. Billen a.a.O. 193; vSoden Cyprian 151, 326.

[305] Capelle Pss 8; vgl. ders. Cas 127.

[306] vSoden Cyprian 148; vgl. 180.

47) ἡγεῖσθαι

existimare	2 Cor 9,5; Phil 3,7; 2 Th 3,15
arbitrari	Phil 2,3. 6. 25; 3,8. 8
habere	1 Th 5,13; 1 Tm 6,1
aestimare	1 Tm 1,12; **Hbr 10,29; 11,26**
credere	**Hbr 11,11**
praeponere	**Hbr 13,7. 17**

48) θέλειν

velle[307]   Rm 7,15. 16. 18. 19. 19. 20. 21; 9,16. 18. 18.
22; 11,25; 13,3; 16,19; 1 Cor 4,19. 21; 7,7.
32. 36. 39; 10,1. 20. 27; 11,3; 12,1. 18;
14,5. 19. 35; 15,38; 16,7; 2 Cor 1,8; 5,4;
8,10; 11,12; 12,6. 20. 20; Gal 1,7; 3,2; 4,9.
17. 20. 21. 5,17; 6,12. 13; Phil 2,13; Col
1,27; 2,1. 18; 1 Th 2,18; 4,13; 2 Th 3,10;
1 Tm 1,7; 2,4; 5,11; 2 Tm 3,12; Phlm 14; **Hbr
10,5. 8; 13,18**

voluntatis (τοῦ θελειν) 2 Cor 8,11

cupere   **Hbr 12,17**
Cupere kommt im Psalterium Romanum und anderen altlateinischen Psalterien vor, *velle*
dagegen im Psalterium Gallicanum; CY hat Ps 33,13 *amare*[308].
Cupere ist nach diesem schwach begründeten Befund die ältere Wahl.

49) θιγγάνειν

| attaminare | Col 2,21 |
| tangere | **Hbr 11,28; 12,20** |

50) θλίβειν

tribulare   2 Cor 1,6; 2 Th 1,6. 7; 1 Tm 5,10
θλίβεσθαι
tribulationem pati   1 Th 3,4; 2 Cor 4,8; 7,5[309]
angustitatis et doloris (θλιβομενοι κακου χομμενοι) **Hbr 11,37**[310]

---

[307] Einschließlich ου θελειν – nolle; **Rm 1,13** arbitror ‹οιομαι DG.
[308] Capelle Pss 42; vgl. Thiele Diss 154.
[309] 2 Cor 4,8; 7,5 vgl. Zimmermann a.a.O. 48.
[310] Schäfer Hbr 31: in **Hbr 11,37** ist 75 *angustitatis et doloris* verderbt; AM par 3,21
bezeugt das richtige *angustati et doloribus afflicti*. Auch die Vulgata tritt für *afflicti* ein.

51) θλῖψις

tribulatio   Rm 2,9; 5,3. 3; 8,35; 12,12; 1 Cor 7,28; 2 Cor
              1,4. 4. 8; 2,4; 4,17; 6,4; 7,4; 8,2. 13; Eph
              3,13; Phil 1,17; 4,14; Col 1,24; 1 Th 1,6; 3,3.
              7; 2 Th 1,4. 6

angustia   **Hbr 10,33**

Im AT sind *pressura* und seine Derivate die alten Termini für θλιψις und dessen Abkömmlinge[311].

Auch im NT finden wir vor allem diese Gegenüberstellung vor[312]. *Pressura* ist das ältere, bald schon setzt sich aber auch *tribulatio* durch. Mt 13,21 belegt 2 *angustia*, das weder an dieser Stelle in den europäischen, noch überhaupt in den afrikanischen Handschriften bezeugt wird[313].

In der Apokalypse verwendet die Vulgata stets *tribulatio*[314], ebenso PRIM und 51[315]; TE bezeugt *pressura* wie TY[316].

Angustia ist wohl nach diesem Befund nicht älter als *tribulatio* zu sehen.

52) θρόνος

thronus   Col 1,16; **Hbr 1,8**
sedes   **Hbr 4,16; 8,1; 12,2**

Thronus ist generell in altlateinischen Texten häufig[317]. Prv 8,27 bezeugt CY und 11,16 94 und 95 *sedes;* 12,23 dagegen 94 95 AU Jb sowie 25,5 94 und 95 *thronus*[318]. In den Maccabäerbüchern bezeugen die Textformen **LXGV** immer *sedes,* während die junge Form **B** *thronus* belegt[319].

In den Psalmen wiederum ist *thronus* bei TE CY LAC FU VIG-T als die ältere Lesart gegenüber *sedes* anzusehen; als Tenor ist wohl festzuhalten: *thronus* ist das afrikanische Wort[320].

In Bezug auf das NT stehen *sedes* und *thronus* in Afrika und Europa altersmäßig etwa auf der gleichen Ebene[321]. Speziell in der Apokalypse bezeugt die Vulgata 29 Mal *thronus*

---

[311] Capelle Pss 8, 12, 31, 62, 95, 102; 142; vgl. auch Burkitt Old Latin 13.

[312] vSoden Cyprian 142, 181, 191, 325.

[313] Ebenda 191; vgl. 220. Burkitt, F.C., Itala Problems, in: Miscellanea Amelli, Monte Cassino 1920; hier: 38 stellt in Bezug auf Mt fest: *pressura* ist ausschließlich afrikanisch, während *tribulatio* aus europäischen Quellen stammt; in Jo dagegen ist *pressura* auch als europäisch zu bezeichnen, ebenso in Mc.

[314] Vogels Apc 4.

[315] Ebenda 32, 44.

[316] Ebenda 124 f; vgl. 127 f.

[317] Schildenberger a.a.O. 9.

[318] Ebenda 105, 115.

[319] Deßruyne Mcc XXII.

[320] Capelle Pss 8, 31, 93, 109, 115, 126, 176; vgl. ders. Cas 127; vgl. Schildenberger a.a.O. 9.

[321] vSoden Cyprian 348.

gegen 14 Mal *sedes,* während der 51 nur einmal *thronus,* dafür aber 42 Mal *sedes* bietet; bei PRIM wiederum ist *thronus* 38 Mal und *sedes* nur vier Mal belegt[322]; bei TY ist das Verhältnis weniger krass: *thronus* begegnet dort 31, *sedes* elf Mal[323]. VICn bezeugt in der Rezension X ein Mal *thronus,* dagegen sieben Mal *sedes*[324]. TE sco 12 schließlich verwendet zu 3,21 *thronus*[325], während AM stets *sedes* bietet außer in 21,3[326]; generell ist hier *thronus* die afrikanische und *sedes* die eher europäische Wahl[327].
Hbr 12,2 belegt PS-VIG Var *thronus,* das in V nicht belegt ist[328].
Sedes ist als jünger anzusehen.

53) ϑυσιαστήριον

altare	Rm 11,3; 1 Cor 9,13. 13; 10,18
ara	**Hbr 7,13**
hostia	**Hbr 13,10**[329]

Im Heptateuch ist *altare* das Frühere neben *ara,* CY hat immer *altare,* 100 bezeugt beides; 103 AM haben dagegen fast immer *ara*[330].
Die alte Textform **L** der Maccabäerbücher belegt *altare,* **B** dagegen *ara*[331].
In der Apokalypse bezeugt die Vulgata ebenso wie 51 nur *altare,* PRIM fünf Mal *ara dei* gegen ein Mal *altare dei,* TY verwendet ein Mal *ara dei,* sechs Mal nur *ara,* während 11,1 nicht sicher als *altare* oder *ara* zu festzulegen ist[332]. VICn bezeugt zu 6,9 und 11,1 *ara*[333], in der Rezension X dagegen *altare*[334]. TE belegt zu 6,9 mehrmals *altare*[335].
Ara ist im Vergleich zu *altare* das jüngere Wort[336]; über die Verwendung von *hostia* können wir nichts sagen.

[322] Vgl. Vogels Apc 111: thronus ist in PRIM die älteste Grundschicht.
[323] Ebenda 85.
[324] Ebenda 55.
[325] Ebenda 127.
[326] Ebenda 132.
[327] Ebenda 131.
[328] Schäfer Hbr 102.
[329] Ebenda 57: **Hbr 13,10** bezeugt 75 die erste, V *altare* die zweite Hälfte von ϑυσιαστηριον (≙ Altar + Opfer); 75 ist dabei in seiner Wahl von φαγειν beeinflußt.
[330] Billen a.a.O. 186.
[331] DeBruyne Mcc XXXVIII.
[332] Vogels Apc 89; vgl. 91.
[333] Ebenda 51.
[334] Ebenda 55.
[335] Ebenda 127.
[336] Vgl. Mohrmann, Christine, Wortform und Wortinhalt, Münchener Theologische Zeitschrift (1956) 99–115; wiederabgedruckt in: Études sur le latin des chrétiens, Band 2: Latin chrétien et médiéval, Rom 1961 11–34; hier: 20 f: bestimmte Wörter konnten aufgrund ihrer Stellung im herkömmlichen Sprachsystem keinen christlichen Sinn annehmen; als Beispiel nennt sie *ara,* das ursprünglich zu stark mit dem heidnischen Sakralbereich verknüpft und aus diesem Grund durch das „unbelastete" *altare* ersetzt wurde.

54) ἱστάναι

statuere	Rm 3,31; 14,4; 1 Cor 7,37
constituere	Rm 10,3
stare	Rm 5,2; 11,20; 14,4; 1 Cor 10,12; 15,1; 2 Cor 1,24; 13,1; Eph 6,11. 14[337]; Col 4,12; 2 Tm 2,19; **Hbr 10,9**
praesto esse	**Hbr 10,11**[338]
om.	Eph 6,13

55) ἰσχυρός

fortis	1 Cor 1,25. 27; 4,10; 10,22; 2 Cor 10,10; **Hbr 6,18; 11,34**[339]
magnus	**Hbr 5,7**

Während in der Apokalypse PRIM und 51 durchgängig *fortis* verwenden, bezeugt die Vulgata neben siebenmal *fortis* auch einmal *magnus* und VICn *fortis* in 10,1[340].
Magnus dringt eventuell erst spät ein.

56) καθαρίζειν

mundare	2 Cor 7,1; Eph 5,26; Tt 2,14; **Hbr 9,23**
emundare	**Hbr 9,14. 22**
purgare	**Hbr 10,2**[341]

Purgare ist im Heptateuch die afrikanische Lesart[342]; vgl. für die Psalmen auch Capelle Pss 31.
In den Evangelien ist *emundare* das Regelmäßige[343]; Generell ist im NT die Wahl *emundare* afrikanisch[344]; öfter begegnet auch *purgare*[345]; *mundare* dagegen tritt in der Vulgata durchgängig auf[346].
Emundare und *purgare* sind die ältere Wahl.

[337] Versnummer willkürlich festgelegt: 13 ... στηναι 14 στητε ουν] στητε.
[338] Eventuell ist auch hier von einer Abwechslung zwischen Hbr 10,9 und 10,11 auszugehen.
[339] 1 Cor 1,27 fortior; **Hbr 6,18** fortissimus: vgl. Schäfer Hbr 50: Ersatz des Positivs durch den Superlativ oder den Komparativ ist nicht aussagekräftig in Bezug auf den Wortschatz des Übersetzers. Der eigentliche Gegensatz in diesem Lemma liegt also nur auf der Übersetzung *magnus*.
[340] Vogels Apc 8, 32, 44, 51; vgl. 55.
[341] Eventuell liegt hier eine bewußte *variatio* vor.
[342] Billen a.a.O. 26, 214.
[343] DeBruyne Ev 310, 312.
[344] Vgl. vSoden Cyprian 282 f.
[345] Ebenda 283; vgl. Capelle Pss 31; Billen a.a.O. 9; Schildenberger a.a.O. 55; vgl. auch Thiele Diss 171; ders. VL 2, 31.
[346] vSoden Cyprian 283, 325.

57) καταλείπειν
    relinquere   Rm 11,4; Eph 5,31; **Hbr 11,27**
    derelinquere   **Hbr 4,1**
    καταλείπεσθαι
    remanere   1 Th 3,1

58) καταπίνειν
    absorbere[347]   1 Cor 15,54; 2 Cor 2,7; 5,4
    devorare   **Hbr 11,29**

59) κατάρα
    maledictum   Gal 3,10. 13. 13
    devotatio   **Hbr 6,8**

60) καύχημα
    gloria[348]   Rm 4,2; 1 Cor 9,15; 2 Cor 1,14; Gal 6,4; Phil
                        2,16
    gloriatio   1 Cor 5,6; Phil 1,26
    quod gloriamus   2 Cor 9,3

    gloriandi (καυχηματος) 2 Cor 5,12
    exultatio   **Hbr 3,6**

61) κληρονομεῖν
    possidere   1 Cor 6,9. 10; 15,50. 50; Gal 5,21; **Hbr 1,4.
                        14**
    heredem esse   Gal 4,30
    potiri   **Hbr 6,12**
    accipere   **Hbr 12,17**

Für das AT können wir generell zusammenfassend sagen: bereits in afrikanischen Texten
begegnen *hereditare, consequi, percipere* und *possidere*[349].
Dieser Befund läßt sich auf das NT übertragen: es ist keine einhellige, ursprüngliche
Übersetzung festzustellen. Die Vulgata weist *possidere, consequi* und *percipere* nach,
außerdem an drei Stellen *hereditare* (nur im Hbr). Die Handschrift 6 belegt Mc 10,17
accipere, CY in fünf Zitaten zu Mt 25,34 *percipere;* die Vulgata bezeugt diese Wahl Mc
10,17[350]

[347] **2 Cor 2,7** adsorbeatur.
[348] **1 Cor 9,16** gratia χαρις D*FGN*.
[349] Vgl. Billen a.a.O. 14, 198; Schildenberger a.a.O. 106.
[350] vSoden Cyprian 249, 355; vgl. auch Matzkow a.a.O. 45.

62) κληρονομία

hereditas	Gal 3,18; Eph 1,14. 18; 5,5; Col 3,24; **Hbr 9,15**
possessio	**Hbr 11,8**

63) κοινωνία

collatio	Rm 15,26
societas	1 Cor 1,9; 2 Cor 6,14; Gal 2,9
communicatio	1 Cor 10,16. 16; 2 Cor 8,4; 9,13; 13,13; Phil 1,5; 2,1; 3,10; Phlm 6 (η κοινωνια της πιστεως – communicati fidei)
communio	**Hbr 13,16**

In den Johannesbriefen bezeugt TE *communio* – einmal auch *communicatio* –, CY ebenfalls *communio*. *Societas* wurde eventuell von der afrikanischen Bibel vermieden[351]. *Communio* ist schon alt.

64) κράτος

potestas	Eph 1,19; Col 1,11; 1 Tm 6,16
potentia	Eph 6,10
imperium	**Hbr 2,14**

Aussagen sind nur über die Psalmen möglich: PS-CY mont bezeugt *imperium*[352]. Die Vulgata bietet in der Apokalypse zu 1,6 *imperium* und zu 5,13 ebenso wie auch PRIM *potestas*[353]; 55 verwendet nur *potestas*[354].

65) κρύπτειν

abscondere	Col 3,3; 1 Tm 5,25
occultare	**Hbr 11,23**

In den Proverbien (25,2) bezeugen 94 und 95 mit Hieronymus und Isidor von Pelusium in der lateinischen Übersetzung (zweite Wiedergabe) *abscondere* gegen die erste Wiedergabe von Isidor *occultare*; CY wählt 12,6 ebenfalls *abscondere*[355]. Sir bietet stets *abscondere*[356].

---

[351] Thiele Diss 174; vgl. ders. VL 2, 32.
[352] Capelle Pss 72.
[353] Vogels Apc 8; vgl. 94 und insgesamt auch 146.
[354] Ebenda 94.
[355] Schildenberger a.a.O. 17; 19.
[356] Ebenda 106; vgl. 115.

66) κτίσις

creatura   Rm 1,20. 25; 8,19. 20. 21. 22. 39; 2 Cor 5,17;
                Gal 6,15; Col 1,15. 23

creatio   **Hbr 4,13; 9,11**[357]

Creatura kommt schon bei CY in Rm 1,25 und Col 1,15 vor, ebenso im alten Text von
Sap[358].

67) λατρεύειν

servire   Rm 1,9. 25; Phil 3,3; 2 Tm 1,3; **Hbr 8,5; 9,9.
                14; 12,28; 13,10**

observare   **Hbr 10,2**

68) λοιπός

ceteri (λοιποι)   Rm 1,13; 11,7; 1 Cor 7,12; 9,5; 11,34; 15,37;
                    2 Cor 12,13; 13,2; Gal 2,13; Eph 2,3; Phil
                    1,13; 4,3; 1 Th 4,13; 5,6; 1 Tm 5,20

ceterum (λοιπον)   1 Cor 1,16; 2 Cor 13,11; Gal 6,17; Eph 6,10;
                    Phil 3,1; 4,8; 1 Th 4,1; 2 Th 3,1; 2 Tm 4,8

reliquum est (το λοιπον) 1 Cor 7,29[359]
postea (το λοιπον) **Hbr 10,13**[360]
om.   1 Cor 4,2[361]

69) λύπη

tristitia   Rm 9,2; 2 Cor 2,1. 3. 7; 7,10. 10; 9,7; Phil
                2,27. 27[362]

maeror   **Hbr 12,11**

70) μαρτυρεῖν

testimonium perhibere Rm 10,2; Gal 4,15; **Hbr 11,4**[363]
testificari   Rm 3,21 (**Hbr 11,4**: s.o.)

---

[357] Schäfer Hbr 11: **Hbr 4,13** beweist, daß 75 nicht nach dem vorliegenden D übersetzt
worden sein kann (D: κρισις – 75: *creatio*).

[358] Thiele Ptr 46.

[359] **1 Cor 7,29** relicuum.

[360] Schäfer Hbr 56: **Hbr 10,13** erfaßt 75 den temporalen Sinn richtig statt V *de cetero*.

[361] **1 Cor 4,2** vgl. ωδε.

[362] **2 Cor 2,7** tristia.

[363] **Hbr 11,4** *testificatur perhibere*: Doppellesart oder Verschreibung eines *testimonium
perhibere*?

testimonium dicere 1 Cor 15,15

testimonium reddere 2 Cor 8,3; Col 4,13; 1 Tm 6,13

contestari **Hbr 7,8. 17; 10,15**

μαρτυρεῖσθαι

testimonium habere 1 Tm 5,10; **Hbr 11,5**

testimonium consequi **Hbr 11,2. 4**

testimonio probari **Hbr 11,39**

Die Umschreibung durch Substantiv + Verbum ist als ein charakteristisches Merkmal vor allem in altafrikanischen oder spanischen Texten zu finden[364]; CY umschreibt regelmäßig[365]. Die Wiedergabe eines griechischen Wortes durch mehrere lateinische ist als ein Zeichen für sprachliche Armut zu werten[366].

Die Vulgata bezeugt für die Apokalypse zwei Mal *testimonium perhibere* sowie je ein Mal *testificari* und *contestari*[367]; PRIM belegt je ein Mal *praedicare, testari, testificari* und *testimonium perhibere*[368]; 51 verwendet *testari, contestari* und *testimonium perhibere*[369].

71) μέγας

magnus[370]	Rm 9,2. 12; 1 Cor 9,11; 13,13; 14,5; 16,9; 2 Cor 11,15; Eph 5,32; 1 Tm 3,16; 6,6; 2 Tm 2,20; Tt 2,13; **Hbr 4,14; 6,13. 16; 10,21. 35; 11,26; 13,20**
amplus	**Hbr 9,11**
grandis	**Hbr 11,24**

72) μεσίτης

mediator	Gal 3,19. 20; 1 Tm 2,5
interventor	**Hbr 8,6**
arbiter	**Hbr 9,15**
sponsor	**Hbr 12,24**

---

364 Thiele Diss 181.

365 Ders. VL 2, 26.

366 DeBruyne Sap 124.

367 Vogels Apc 8.

368 Ebenda 33.

369 Ebenda 45; vgl. insgesamt auch ebenda 145 und 147.

370 **1 Cor 12,31** meliora ‹κρεισσονα DFGKLΨ; **Hbr 8,11** maior.

73) μεταλαμβάνειν
percipere   2 Tm 2,6
recipere   **Hbr 6,7; 12,10**

74) μετέχειν
percipere   I Cor 9,10; 10,17. 30; **Hbr 5,13**
habere   I Cor 9,12
participare   I Cor 10,21
participes factus est (μετεσχεν) **Hbr 2,14**[371]
esse de   **Hbr 7,13**

75) μόνον[372]
solum[373]   Rm 1,32; 5,3. 11; 8,23; 9,10. 24; 13,5; 2 Cor
                             7,7; 8,10. 19. 21; 9,12; Gal 4,18; 6,4; Eph
                             1,21; Phil 1,29; 2,27; I Th 1,8; 2,8; I Tm
                             5,13; 2 Tm 4,8; **Hbr 12,26**
tantum   Rm 3,29; 4,12. 23; I Cor 7,39; 15,19; Gal
                             1,23; 2,10; 5,13; 6,12; Phil 1,27; 2,12; I Th
                             1,5; 2 Th 2,7; 2 Tm 2,20
solummodo   **Hbr 9,10**
om.   Rm 4,16

76) μόνος
solus   Rm 11,3; 16,4. 27; I Cor 9,6; 14,36; Gal 3,2;
                             Phil 4,15; Col 4,11; I Th 3,1; I Tm 1,17; 6,15.
                             16; 2 Tm 4,11
singularis   **Hbr 9,7**

77) νοεῖν
intellegere   Rm 1,20; Eph 3,4. 20; I Tm 1,7; 2 Tm 2,7
scire   **Hbr 11,3**

---

[371] **Hbr 2,14** nach Wordsworth-White a.a.O. z. St. ist diese Stelle korrupt.

[372] In der Konkordanz sind beide Lemmata (μονον und μονος) in eins zusammengefaßt; ich stelle sie in dieser Untersuchung als zwei verschiedene dar.

[373] Etwa ab Gal zeigt es sich sehr schön, wie konsequent die *variatio* durchgehalten wird.

78) ὅλος

universus	Rm 1,8; 16,23; 1 Cor 14,23; 2 Cor 1,1; Gal 5,3; 1 Th 4,10; Tt 1,11
totus	Rm 8,36; 10,21; 1 Cor 5,6; 12,17. 17; Gal 5,9; Phil 1,13; **Hbr 3,5**[374]
omnis	**Hbr 3,2**

In den Johannesbriefen ist *universus* ausgesprochen europäisch, *totus* und *omnis* wechseln hier innerhalb **V**, um Wiederholungen zu vermeiden[375]. Überhaupt ist im NT zu beobachten, daß *universus* immer häufiger als Wiedergabe von πας verwendet wird; dies geschieht mit der Tendenz, *totus* für ολος zu reservieren[376].

In der Apokalypse verwendet die Vulgata an insgesamt fünf Stellen dreimal *universus* und einmal *totus* (eine Stelle ist nicht eindeutig zuzuordnen. 51 bezeugt dreimal *universus* und einmal *totus*, während PRIM nur einmal *universus* bietet, dafür zweimal *totus*; TY schließlich bezeugt viermal *totus* und ein Mal *omnis*[377]. VICn bezeugt in der Rezension X *totus*[378]

79) ὁρᾶν

videre	Rm 1,11; 15,21; 1 Cor 2,9; 8,10; 9,1; 15,5. 8; 16,7; Gal 1,19; 2,7. 14; 6,11; Phil 1,27. 30; 2,28; 4,9; Col 2,1. 18; 1 Th 2,17; 3,6. 10; 5,15; 1 Tm 6,16. 16; 2 Tm 1,4; **Hbr 2,8; 3,9; 8,5; 11,5. 23; 12,14**
aspicere	**Hbr 11,13. 27**
ὀφθῆναι	
apparere	1 Cor 15,6. 7; 1 Tm 3,16; **Hbr 9,28**

80) ὅσιος

sanctus	1 Tm 2,8; Tt 1,8
iustus	**Hbr 7,26**

---

[374] Schäfer Hbr 20 f; 58: **Hbr 3,2. 5** bezeugt 75 *omnis* und *totus*: dieses Phänomen wird von allen Lateinern geteilt; der Vokabelwechsel ist dabei ursprünglich und durchaus kein Zeichen für eine Überarbeitung; CLE-R macht den Vokabelwechsel mit; dieses Schwanken in D ist auch der Grund für den Vokabelwechsel in der sonst recht einheitlichen Vulgata.

[375] Thiele Diss 184; vgl. ders. VL 2, 27.

[376] vSoden Cyprian 195.

[377] Vogels Apc 90.

[378] Ebenda 55.

81) οὕτως

ita[379]   Rm 1,15; 5,12. 15. 19. 21; 6,4. 11. 19;
                    11,31; 12,5; 1 Cor 2,11; 7,17. 17. 36; 9,14.
                    15; 11,12; 12,12; 15,11. 11. 22. 42; 16,1;
                    2 Cor 1,5; 7,14; 8,6. 11; 10,7; Gal 4,29;
                    Eph 4,20; 5,24; Col 3,13; 1 Th 2,4. 8; 5,2;
                    2 Th 3,17; **Hbr 9,6**

sic[380]   Rm 4,18; 5,18; 9,20; 10,6; 11,5. 26; 15,20;
                    1 Cor 3,15; 4,1; 5,3; 6,5; 7,7. 7. 26. 40; 8,12;
                    9,24. 26. 26; 11,28; 15,45; 2 Cor 9,5; Gal
                    1,6; 3,3; 4,3; 6,2; Eph 5,28; Phil 3,17; 4,1;
                    1 Th 4,14. 17; 2 Tm 3,8; **Hbr 4,4; 5,3. 5; 6,9.
                    15; 9,28; 12,21**

taliter   **Hbr 10,33**

om.[381]   1 Cor 14,21; 2 Cor 1,7; Eph 5,33

82) παρά

apud   Rm 2,11. 13; 9,14; 12,16; 1 Cor 3,19; 7,24;
                    16,2; 2 Cor 1,17; Gal 3,11; Eph 6,9; Col 4,16;
                    2 Th 1,6; 2 Tm 4,13

ab   Rm 11,27; Gal 1,12; Eph 6,8; Phil 4,18. 18;
                    1 Th 2,13; 4,1; 2 Th 3,6; 2 Tm 1,13. 18; 2,2;
                    3,14; **Hbr 2,7**

quam[382]   Rm 1,25; 12,3; **Hbr 2,9; 3,3; 9,23; 11,4;
                    12,24**

contra   Rm 1,26; 4,18; 11,24

praeter[383]   Rm 16,17; 1 Cor 3,11; Gal 1,8. 9

supra   2 Cor 8,3

una minus (παρα μιαν) 2 Cor 11,24

prae   **Hbr 1,9**

super   **Hbr 11,11**

---

[379] **1 Cor 14,25** tunc.
[380] **Rm 11,26** sit; **1 Cor 8,12** si; **Hbr 6,9** vgl. ει.
[381] **1 Cor 14,21** vgl. ουδε.
[382] **Rm 14,5** vgl. ημερα; **1 Cor 12,15. 16** vgl. ουτος.
[383] **Gal 1,8. 9** παρ'ο – praeterquam (quod).

om.[384]   Rm 11,25; 14,5; 1 Cor 12,15. 16; 2 Th 3,8;
                            Hbr 1,4; 11,12

83) παραιτεῖσθαι
    devitare   1 Tm 4,7; 5,11; 2 Tm 2,23; Tt 3,10
    se excusare   **Hbr 12,19**
    neglegere   **Hbr 12,25**
    veniam postulare   **Hbr 12,25**[385]

84) παρακαλεῖν
    obsecrare[386]   Rm 12,1; 15,30; 1 Cor 1,10; 4,13. 16; 16,15;
                            2 Cor 2,8; 10,1; Eph 4,1; 1 Th 4,1; 1 Tm 2,1;
                            5,1; Phlm 9. 10
    exhortari   Rm 12,8; 1 Cor 14,31; 2 Cor 1,4; 2,7; 5,20;
                            6,1; 13,11; Eph 6,22; 1 Th 5,11; 2 Th 2,17;
                            1 Tm 6,2; 2 Tm 4,2; Tt 1,9
    rogare   Rm 16,17; 1 Cor 16,12; 2 Cor 8,6; 9,5; 12,8.
                            18; Phil 4,2. 2; 2 Th 3,12; 1 Tm 1,3
    deprecari   1 Th 2,12
    cohortari   1 Th 3,2
    hortari   1 Th 4,10; 5,14; Tt 2,6. 15
    petere   **Hbr 13,19**
    consolari   2 Cor 1,4. 4; 2,7; 7,6. 6. 7. 13; Col 2,2; 4,8;
                            1 Th 3,7; 4,18; **Hbr 3,13; 10,25**

85) παρακοή
    inobaudientia   Rm 5,19; 2 Cor 10,6
    contumacia   **Hbr 2,2**

86) πειράζειν
    temptare   1 Cor 7,5; 10,9. 13; 2 Cor 13,5; Gal 6,1; 1 Th
                            3,5. 5; **Hbr 3,9; 11,17**
    experiri   **Hbr 2,18. 18; 4,15**

---

[384] **Rm 11,25** παρ'εαυτοις – vobis ipsis; **Hbr 1,4** παρ'αυτομς – his.
[385] Schäfer Hbr 57: **Hbr 12,25**: 75 mißdeutet παραιτησαμεωοι mit venia⟨m⟩ postulantes;
V übersetzt richtig recusantes.
[386] **2 Cor 1,6** tribulamur.

87) περισσότερος
abundantior[387]	1 Cor 12,23. 23; 15,10; 2 Cor 10,8
plus	1 Cor 12,24[388]
maior	2 Cor 2,7
amplius	**Hbr 7,15**
(περισσοτερον)	

88) περισσοτέρως
abundantius	2 Cor 1,12; 2,4; 7,13. 15; 11,23; Gal 1,14; Phil 1,14; 1 Th 2,17
plurimi	2 Cor 11,23[389]
plus	2 Cor 12,15
amplius	**Hbr 2,1; 13,19**

89) πίπτειν
cadere	Rm 11,11. 22; 14,4; 1 Cor 10,8. 12; 14,25; **Hbr 3,17; 4,11**
excidere	1 Cor 13,8
ruere	**Hbr 11,30**

90) πλοῦτος
divitiae	Rm 2,4; 9,23; 11,12. 12. 33; 2 Cor 8,2; Eph 1,7. 18; 2,7; 3,8. 16; Phil 4,19; Col 1,27; 2,2; 1 Tm 6,17
honestas	**Hbr 11,26**

Im Weisheitsbuch werden *divitiae* (**K**: 5,8; **V**: 5,8; 7,8; 8,5) und *honestas* (**V**: 7,11. 13; 8,18) belegt. *Honestas* ist vielleicht die Angleichung an den Singular in Sap 8,5, wo AU einen jüngeren, nach guten griechischen Vorlagen korrigierten Text vertritt; neben *divitiae* finden wir honestas manchmal auch in alten Texten, allgemein besteht aber die Tendenz, das gelegentliche *honestas* aufzugeben[390].
Honestas ist nach diesem Befund die ältere Alternative.

---

[387] **Hbr 6,17** εν ω περισσοτερον – in quo primum.
[388] **1 Cor 12,24** περισσοτεραν δους τιμην – plus tribuendo honorem.
[389] **2 Cor 11,23** εν κοποις περισσοτερως – in laboribus plurimis.
[390] Thiele Sap 158; vgl. auch ebenda ein Derivat von *honestas*: **Tt 3,6** πλουσιως – *honeste* 75 89 LUC; Schildenberger a.a.O. 107: Sap belegt honestas und divitiae je dreimal; Sir honestas auch dreimal, *divitia* dagegen nur einmal.

91) πολλάκις

saepe[391]	Rm 1,13; 2 Cor 8,22; **Hbr 6,7; 9,25; 10,11**
frequenter	2 Cor 11,23; 2 Tm 1,16
aliquotiens	**Hbr 9,26**

92) πονηρός

malus	Rm 12,9; 1 Cor 5,13; Gal 1,4; Eph 5,16; 6,13; Col 1,21; 1 Th 5,22; 2 Th 3,2. 3; 1 Tm 6,4; 2 Tm 3,13; 4,18; **Hbr 10,22**
nequissimus	Eph 6,16
malignus	**Hbr 3,12**

Im Heptateuch wird *malignus* gewöhnlich bezeugt bei 100 101 104 AU; selten bei CY; *malus* ist hier überhaupt nicht allgemein verbreitet[392]; *nequam* ist afrikanisch[393]. Im Proverbien-Buch ist *malignus* europäisch[394].
In den Psalmen ist *nequam* eher als afrikanisch einzuschätzen[395]. In Ps 96,10 wird *malignus* bei 300 AU als afrikanisch bewertet[396].
1 2 12 CY PRIM belegen im NT regelmäßig *nequam*, auch wenn das geläufigere *malus* oft eingedrungen ist[397]; *malignus* ist die europäische Alternative[398].
Malignus läßt sich als die jüngere Alternative vertreten.

93) προκεῖσθαι

| promptum esse | 2 Cor 8,12 |
| propositum esse | **Hbr 6,18; 12,1. 2** |

94) προλέγειν

praedicere	Rm 9,29; 2 Cor 7,3; 13,2. 2; Gal 1,9; 5,21. 21; 1 Th 4,6[399]
praedicare	1 Th 3,4
antea dicere	**Hbr 4,7**

---

[391] **2 Cor 11,26. 27. 27** multis πολλαις D*; **Phil 3,18** semper.
[392] Billen a.a.O. 204.
[393] Ebenda 25.
[394] Schildenberger a.a.O. 107.
[395] Vgl. Capelle Pss 162: *malignus* ist in den Psalmen nicht so sicher europäisch, wie es vSoden Cyprian 191 für das NT behaupten kann.
[396] Capelle Pss 49.
[397] Thiele VL 2, 27; vgl. DeBruyne Ev 300 f: bei **Mt 24,48** und **Lc 8,2** steht *malus* für κακος und *nequam* regelmäßig für πονηρος, vgl. vSoden Cyprian 144; vgl. 180, 191, 326.
[398] vSoden Cyprian 191; vgl. zu den Johannesbriefen De Bruyne, Donatien, Saint Augustin reviseur de la Bible, Miscellanea Agostiniana II, Rom 1931; 521–606; hier: 541; vgl. auch Thiele Diss 194.
[399] **2 Cor 13,2; Gal 5,21** *praedico* bei *praedicere* gelassen.

95) πρότερος

prius[400]   2 Cor 1,15; Eph 4,22; 1 Tm 1,13; **Hbr 7,27**
iam pridem   Gal 4,13
pristinus   **Hbr 10,32**

96) πρωτότοκος

primogenitus   Rm 8,29; Col 1,15. 18; **Hbr 1,6**
primitivus   **Hbr 11,28; 12,23**

Im Heptateuch stehen in 100 und 104 *primitivus* und *primogenitus* nebeneinander; CY bietet gewöhnlich *primogenitus,* daneben auch *primitivus;* AM bezeugt üblicherweise *primitivus*[401].
Im Ps 77,51 bieten 300 AU *primitivus* gegen das nichtafrikanische *primogenitus* auf[402]. *Primitivus* ist wohl das ältere Wort.

97) σκληρύνειν

indurare   Rm, 9,18
obdurare   **Hbr 3,8**[403]
praedurare   **Hbr 3,13. 15; 4,7**

98) στερεός

firmus   2 Tm 2,19
solidus   **Hbr 5,12. 14**

99) σώζειν

salvum facere   Rm 11,14; 1 Cor 1,21; 7,16. 16; 9,22; 1 Tm
                           1,15; 2 Tm 1,9; 4,18; Tt 3,5; **Hbr 7,25**
salvum efficere   1 Cor 15,2
salvare   Eph 2,5; 1 Th 2,16; 1 Tm 4,16
eliberare   **Hbr 5,7**
σώζεσθαι
salvum esse   Rm 5,9. 10; 10,9. 13; 1 Cor 3,15; 5,5
salvum fieri   Rm 8,24; 9,27; 11,26; 1 Cor 1,18; 10,33;
                           2 Cor 2,15; Eph 2,8; 2 Th 2,10; 1 Tm 2,4. 15

Für CY ist *salvare* die häufigste Wahl; eine Verbindung mit *facere* begegnet zwar ebenfalls schon bei CY, aber ist auch später in 100 und bei AU anzutreffen[404].

---

[400] **Hbr 4,6** οι προτερον ευαγγελισθεντες – hi primum quibus praedicatum est.
[401] Billen a.a.O. 9, 213.
[402] Capelle Pss 128.
[403] Schäfer Hbr 19, 24: **Hbr 3,8** ist *obdurare* zu dem *praedurare* in 75 sekundär (vgl. auch LUC *praedurare*). Eventuell ist es dabei von der Vulgata beeinflußt, die stets *obdurare* bietet, wahrscheinlicher aber von dem zugrunde liegenden Psalmenzitat.
[404] Billen a.a.O. 216.

Im Buch Baruch ist *liberare* vorherrschend[405].

Sap bezeugt unter anderen Alternativen sowohl das afrikanische *liberare* als auch das europäische *salvare*[406]. *Liberare* finden wir hier 12,20; 14,5; 18,5 neben *sanare* und *salvare*, das das jüngere V-Korrektur zu *sanare* (D) in Sap 16,11 ist[407]. In den Psalmen belegt CY *salvare* (Ps 21,22) gegen 300 TE AU *salvum facere*[408]. Ps 106,19 bietet AU mit Cerealis und dem Gallicanum *liberare* gegen *salvum facere* in 300[409]; Ps 30,17 hat FU *salvare*[410]; eventuell könnte man sagen, *liberare* ist in den Psalmen – vor allem gegenüber dem Löwenanteil von *salvum facere* – seltener anzutreffen[411], das *Psalterium Romanum* bietet an 12 von 70 Stellen *liberare*, von den übrigen Psalterien wird diese Übersetzung oft abgelehnt[412].

1 Mcc 3,18 zeigt die alte Textform L *salvificare*, niemals *salvare*, daneben aber auch *liberare*[413]: und zwar an elf von siebzehn Stellen, dies wird dann auch in der späteren Überlieferung beibehalten[414].

Im NT hat TE ein Mal *salvare* und zwei Mal *liberare* (zu Lc 6,9; 23,35), ansonsten *salvum facere*[415]; CY bezeugt Mt 24,22 *liberare* gegen 2 und bewahrt damit die ältere Übersetzung; Rm 5,9 wählt er *eliberare*. 2 verwendet Mt 14,30; Lc 23,37 und Jo 12,27 *liberare*, das zu diesem Zeitpunkt noch nicht ganz verloren gegangen ist[416]. Zum Überblick seien die handschriftlichen Belege von *liberare* im NT aufgezählt: Mt 27,49: Itala V; Mc 8,25: 3 4 5 6 13 51 55; 14,30: 2 5; 24,13: 5; 27,40: 3 4 5 6 13; 27,49: 2 4 5 6 8 9 11 13 15 30; Lc 17,33: 4 6 13 17; 23,37: 2 4 6 8 11 13; Jo 12,27: 2 3 6 8; 2 Tm 1,9: 77 78 V; Jac 4,12: 53 V[417].

Zusammenfassend kann man etwa sagen: in den Evangelien ist *liberare* in den alten Texten selten, ebenso in Act, Cath; auch in den Paulusbriefen finden sich nur wenige Vertreter: CY etwa bezeugt Rm 5,9 zusammen mit HIL Ps 2 *eliberare*, TY in Rm 9,27 und HIL tri in Rm 11,26 *liberare*, ebenso wie 77 86 V in 2 Tm 1,9; 75 *(eliberare)* und AM in Hbr 5,7[418].

100) ταχέως

    cito   1 Cor 4,19; Gal 1,6; Phil 2,19. 24; 2 Th 2,2;

    celer   1 Tm 5,22; 2 Tm 4,9

             Hbr 13,19

---

[405] Thiele Ptr 198.

[406] DeBruyne Sap 127.

[407] Thiele Sap 157.

[408] Capelle Pss 10; vgl. 32: *salvum facere* wird (**Ps 21,9; 117,25**) von den Nichtafrikanern geboten.

[409] Ebenda 150.

[410] Ebenda 177.

[411] Vgl. Matzkow a.a.O. 24.

[412] Thiele Ptr 198.

[413] DeBruyne Mcc XXII.

[414] Thiele Ptr 198.

[415] Und daneben steht das Passiv *salvum esse*: vSoden Cyprian 147 f.

[416] Vgl. zum gesamten neutestamentlichen Komplex: vSoden Cyprian 147, 148, 181, 326.

[417] Matzkow a.a.O. 20–22, der für TE nur das Zitat zu **Lc 6,9** erfaßt.

[418] Thiele Ptr 198 f.

101) τελειοῦν

perficere   Phil 3,12; **Hbr 5,9; 7,28**[419]
consummare   **Hbr 2,10; 7,19; 9,9; 10,14; 11,40**[420]

Im Heptateuch ist *perficere* nachweislich – da von CY belegt – das ursprüngliche Wort[421]; *consummare* dagegen ist später oder europäisch[422] und begegnet in 100 103 104 neben *perficere*[423]; HIL bezeugt wie AU ebenfalls beide Möglichkeiten und steht damit im Übergang vom afrikanischen zum europäischen Text; AM wählt regelmäßig *consummare*[424].

CY bezeugt in den Johannesbriefen ausschließlich *perficere*, in Afrika ist aber auch *consummare* heimisch. Ganz generell gilt, daß *perficere* auch mit europäischen Zeugen geht[425], aber: *consummare* ersetzt *perficere*, der umgekehrte Weg ist nicht nachzuweisen[426].

In der Apokalypse wird *perficere* von der Vulgata, 51, PRIM und VICn nicht belegt. *Consummare* dagegen verwendet die Vulgata siebenmal, ebenso 51; PRIM andererseits nur zweimal und TY gar nur einmal. Der Konkurrent ist in der überwiegenden Zahl der Fälle *finire*[427].
Consummare ist die jüngere Wahl.

102) τύπος

forma   Rm 5,14; 6,17; Phil 3,17; 2 Th 3,9; Tt 2,7
figura   1 Cor 10,6; 1 Th 1,7; 1 Tm 4,12
exemplar   **Hbr 8,5**[428]

103) ὑπακοή

ad obaudiendum (εις (την) υπακοην) Rm 1,5; 6,16; 2 Cor 10,5
obauditio   Rm 5,19; 6,16; 2 Cor 10,6; Phlm 21
obaudientia[429]   Rm 15,18; 16,19. 26; 2 Cor 7,15
subditio   **Hbr 5,8**

---

[419] Wir haben hier möglicherweise ein Beispiel dafür, wie der Herausgeber zum Teil recht konsequent die Abwechslung sucht.

[420] **Hbr 10,1** emundare ‹καθαρισαι D*›; **Hbr 12,23** funditorum ‹τεθεμελιωμενων D*›.

[421] Billen a.a.O. 11, 210.

[422] Ebenda 28.

[423] Ebenda 9.

[424] Ebenda 80.

[425] Thiele Diss 197.

[426] Ders. VL 2, 33.

[427] Vogels Apc 90.

[428] **Hbr 8,5** *exempla*: da diese Form vom Singular τυπον abhängig ist, wird dem Alternativanalogon *exemplum* vorgezogen.

[429] **Rm 16,19** *ob...dientiam* in der Ausgabe von Tischendorf; auf der Photographie ist ebenfalls an dieser Stelle nichts sicheres auszumachen.

104) ὑπακούειν

obaudire   Rm 6,12. 16. 17; 10,16; Eph 6,1. 5; Phil 2,12;
                  Col 3,20. 22; 2 Th 1,8; 3,14; **Hbr 11,8**
obtemperare   **Hbr 5,9**430

105) ὑπομένειν

pati   Rm 12,12
sustinere   1 Cor 13,7; 2 Tm 2,10; **Hbr 10,32; 12,2**
tolerare   2 Tm 2,12
portare   **Hbr 12,3**
perseverare   **Hbr 12,7**

Im NT belegen bereits TE und CY *perseverare* und *sustinere,* das als die älteste, da
wörtlichste Wiedergabe zu gelten hat431. CY belegt auch *tolerare,* und es ist unentscheid-
bar, ob *perseverare* oder *tolerare* als das bei ihm Regelmäßige angesehen werden
muß432.
Perseverare ist schon alt. Über *portare* läßt sich nichts sagen.

106) ὑπομονή

patientia   Rm 2,7, 5,3. 4; 8,25; 15,4. 5; 2 Cor 6,4;
                  12,12; Col 1,11; 1 Th 1,3; 2 Th 1,4; 3,5; 1 Tm
                  6,11; 2 Tm 3,10; Tt 2,2; **Hbr 12,1**
sustentatio   2 Cor 1,6
perseverantia   **Hbr 10,36**433

107) ὑψηλός

altus   Rm 11,20; 12,16
excelsus   **Hbr 1,3; 7,26**434

Im Heptateuch ist *altus* das afrikanische Wort435; 100 104 LUC AM AU belegen
ebenso wie der „Grenzfall" vom alten zum jungen Text HIL vor allem das spätere
*excelsus*436.

---

430 **Hbr 5,9** operantibus.
431 vSoden Cyprian 64, 76, 149.
432 Ebenda 64, 180.
433 **Hbr 10,36** υπομονης – perseverantis.
434 Die Rm-Stellen sind durchaus auch als υψηλοφρονειν – *alta sapere* aufzufassen (vgl. 1
Tm 6,17).
435 Billen a.a.O. 28, 195.
436 Ebenda 80, 195.

Prv 9,3 bezeugen 94 und 95 sowie AM das mehr dem alten afrikanischen Bibeltext entsprechende *altissimus*[437], CY *excelsus*[438].
Auch in Sap ist *altus* gegenüber *excelsus* das Ältere[439]. Ps 81,6 belegen *altissimus* 300 TE CY OPT IR HIL AU gegen *excelsus* der „Nichtafrikaner"[440].
Der alte Text **L** bezeugt in den Macchabäer-Büchern *altus* gegen die jüngere Form **B** *excelsus*[441].
Im NT haben die Afrikaner beides: 1 2 PRIM bezeugen *altus,* 2 CY hingegen *excelsus* (im Fall Lc 16,15); *altus* ist also in Afrika das bevorzugte; die Vulgata belegt viermal *altus* und siebenmal *excelsus*[442].

108) φανεροῦν

manifestare	Rm 1,19; 3,21; 1 Cor 4,5; 2 Cor 2,14; 3,3; 4,10. 11; 5,10; 7,12; 11,6; Eph 5,13. 14; Col 1,26; 4,4; 1 Tm 3,16; 2 Tm 1,10; Tt 1,3

φανεροῦσθαι

innotescere	Rm 16,26
manifestum esse	2 Cor 5,11. 11
apparere	Col 3,4. 4; **Hbr 9,26**
propalari	**Hbr 9,8**

109) φεύγειν

fugere	1 Cor 6,18; 10,14; 1 Tm 6,11; 2 Tm 2,22
effugere	**Hbr 11,34**

110) φοβεῖσθαι

timere	Rm 11,20; 13,3. 4; 2 Cor 11,3; 12,20; Gal 2,12; 4,11; Eph 5,33; Col 3,22; **Hbr 4,1; 11,23; 13,6**
vereri	**Hbr 11,27**

---

[437] Schildenberger a.a.O. 19, 22.
[438] Ebenda 22; vgl. 97; 109; 116.
[439] DeBruyne Sap 127.
[440] Capelle Pss 32, 100, 139.
[441] DeBruyne Mcc XXXIX für **1 Mcc 4,60; 6,7; 2 Mcc 3,31.**
[442] vSoden Cyprian 331, 335.

111) φόβος

timor Rm 3,18; 8,15; 13,3. 7. 7; 1 Cor 2,3; 2 Cor
5,11; 7,1. 5. 11. 15; Eph 5,21; 6,5; Phil 2,12;
1 Tm 5,20

„timetu" (φοβω) **Hbr 2,15**[443]

Im Psalmenbuch (zu Ps 110,10; 118,120) belegen TE CY *metus* gegen *timor* 300
AU, aber auch gegen die „Nichtafrikaner"[444].
In der Apokalypse verwenden Vulgata und 51 je drei Mal *timor*[445], PRIM je einmal
metus und *timor*[446].
Metus ist zwar älter, allerdings ist in diesem Zusammenhang die Deutung von Schäfer
nicht unbedingt nachvollziehbar.

112) χωρίζειν

separare Rm 8,35. 39

χωρίζεσθαι

discedere 1 Cor 7,10. 11. 15. 15; Phlm 15

segregare **Hbr 7,26**

113) ὥσπερ

sicut Rm 5,12. 19. 21; 6,19; 11,30; 1 Cor 8,5; 10,7;
11,12; 15,22; 16,1; 2 Cor 8,7; Gal 4,29; 1 Th
5,3; **Hbr 4,10**

quomodo Rm 6,4

quemadmodum **Hbr 7,27; 9,25**

[443] **Hbr 2,15** ist nach Schäfer Hbr 18 eine Halbkorrektur aus dem ursprünglichen *timore*,
wobei **V** den **D**-Text besser erhalten hat; woher *metu* eingedrungen ist, kann nicht entschieden
werden.
[444] Capelle Pss 32, 105 f; ebenso ders. Cas 125.
[445] Vogels Apc 4, 46.
[446] Ebenda 34.

2. Liste Zwei: weniger aussagekräftige Lemmata

a)   Neben der beachtlichen Anzahl an Lemmata in der ersten Liste, die
       deutlich auf einen Bruch zwischen Pls und Hbr in Bezug auf den
       Wortschatz zurückschließen lassen, finden wir auch solche, die zwar
       keine besonderen Analoga nachweisen, allerdings doch im Hbr eine
       gewisse Vorliebe für die eine oder andere Wiedergabe erkennen lassen:

1)   ἐξέρχεσθαι
       exire   Rm 10,18; 1 Cor 5,10; 2 Cor 6,17; 1 Th 1,8;
                               Hbr 3,16; 7,5; 11,8. 8; 13,13
       proficisci   2 Cor 2,13; 8,17; Phil 4,15
       procedere   1 Cor 14,36

2)   ἐπαγγέλλεσθαι
       promittere   Rm 4,21; 1 Tm 2,10; 6,21; Tt 1,2
       repromittere   Gal 3,19; **Hbr 6,13; 10,23; 12,26**

       fidelem esse repromissionem (πιστον τον επαγγειλαμενον) **Hbr
             11,11**

3)   λαός
       populus   Rm 11,1; 15,11; 1 Cor 10,7; 14,21; 2 Cor
                               6,16; Tt 2,14; **Hbr 2,17; 4,9; 5,3; 7,5. 11. 27;
                               8,10; 9,7. 19. 19; 10,30; 11,25; 13,12**
       plebs   Rm 9,25. 25. 26; 10,21; 11,2; 15,10

4)   λόγος
       verbum   Rm 9,6. 9. 28; 13,9; 15,18; 1 Cor 1,5. 17. 18;
                               2,13; 14,19. 19; 2 Cor 2,17; 4,2; 5,19; 6,7;
                               10,11; Gal 6,6; Eph 1,13; 5,6; Phil 1,14; 2,16;
                               4,15. 17; Col 1,5. 25; 3,16. 17; 1 Th 1,5[447]. 6;
                               2,13. 13. 13; 4,15. 18; 2 Th 3,14; 1 Tm 4,5;
                               5,17; 2 Tm 1,13; 2,15; 4,2. 15; Tt 1,3. 9; 2,5;
                               **Hbr 2,2; 4,2. 12; 5,13; 6,1; 7,28; 12,19;
                               13,7**

[447] **1 Th 1,5** in vero.

sermo	Rm 3,4; 1 Cor 2,1. 4. 4; 4,19. 20; 12,8. 8; 14,36; 15,54; 2 Cor 1,18; 8,7; 10,10; 11,6; Gal 5,14; Eph 4,29; 6,19; Col 4,3. 6; 1 Th 1,8; 2,5; 2 Th 2,2. 15. 17; 3,1; 1 Tm 1,15; 3,1; 4,6. 9. 12; 6,3; 2 Tm 2,9. 11. 17; Tt 2,8; 3,8; **Hbr 5,11**
ratio	Rm 14,12; 1 Cor 15,2; Col 2,23; **Hbr 4,13; 13,17**

5) τοιοῦτος

talis	Rm 1,32; 2,2. 3; 1 Cor 5,1; 11,16; 15,48. 48; 16,16; 2 Cor 3,4. 12; 10,11; Gal 5,21; Phlm 9; **Hbr 7,26; 8,1; 11,14; 12,3; 13,16**
eiusmodi	1 Cor 5,11; 7,15; 16,18; 2 Cor 2,6. 7; 10,11; 11,13; 12,2. 3. 5; Eph 5,27; 2 Th 3,12
huiusmodi	Rm 16,18; 1 Cor 5,5; 7,28; Gal 5,23; 6,1; Phil 2,29; Tt 3,11

b) Unter Berücksichtigung der Masse der „normalen" Wiedergaben können die besonderen Analoga nur schwerlich Argument für die Differenz innerhalb des Wortschatzes sein; Auslassungen werden nicht angegeben; in Klammern habe ich die Anzahl der Belegstellen notiert.

1) ἁμαρτία
peccatum (87)	
delictum	**Hbr 7,27**[448]

2) δικαιοσύνη
iustitia (61); iustificatio (1)	
aequitas	**Hbr 1,9; 11,33**

3) καθώς
sicut (83)[449]; quemadmodum (6); prout (3); quomodo (1)	
ut	**Hbr 4,3**
tamquam	**Hbr 11,12**

4) κόσμος
mundus (43); saeculum (5)	
orbis	**Hbr 10,5; 11,38**[450]

---

[448] **Rm 7,13** vgl. αμαρτωλος; **Rm 7,25** dei.
[449] **2 Cor 6,16** enim ꞇγαρ D*FG; **Gal 5,21; Eph 1,4; Col 2,7; Hbr 8,5; 10,25** sicut] + et.
[450] **1 Cor 1,28** modus.

5) λαλεῖν	loqui (62); dicere (4)	
	praedicatum verbum	
	(λαληθεις λογος)	**Hbr 2,2**
	praedicandi (λαλεισθαι)	**Hbr 2,3**
	lecto testamento	
	(λαληθεισης εντολης)	**Hbr 9,19**
	nominantur (λαλει)	**Hbr 11,4**
6) λαμβάνειν	accipere (44); apprehendere (1); percipere (1);	
	sibi acquirere (1)	
	eligere	**Hbr 5,1**
	sibi sumere	**Hbr 5,4**
	quam experti aegypti	
	(πειραν λαβοντες οι	
	Αιγυπτιοι)	**Hbr 11,29**
	experti (πειραν ελαβον)	**Hbr 11,36**
7) ποιεῖν	facere (99)	
	creatori (τω ποιησαντι)	**Hbr 3,2**
	consummare	**Hbr 10,36**
	celebrare	**Hbr 11,28**
8) πολύς	multus (92); magnus (4)[451]	
	omnibus illis (τοις	
	πλειοσιν)	**1 Cor 10,5**
	multum (επι πλειον)	**2 Tm 2,16**
	ultra (επι πλειον)	**2 Tm 3,9**[452]
	ampliorem gloriam	**Hbr 3,3**
	consecutus est (πλειονος	
	δοξης ηξιωται)	

[451] **2 Cor 2,4** vester; **Phil 1,23** quanto ‹ποσω D*FG, vgl. auch **Hbr 12,9** πολλω D²KL; alle Steigerungsstufen und Wortarten wurden zusammengenommen unter den Grundformen *multus* und *magnus.*

[452] Zu επι πλειον vgl. Capelle Pss 115.

3. Liste Drei (Gegenprobe)

Die folgende Aufstellung sammelt die Lemmata, deren Wiedergabe nicht einmal formal auf einen Wechsel des Wortschatzes hindeuten, also diejenigen, die in Pls und Hbr dieselben Wiedergaben zeigen.

Der Aufbau der Liste ist in den Vorbemerkungen bereits ausführlich dargelegt worden.

1)	ἀγαθός	bonus, benignus
2)	ἀγαπᾶν	diligere[453]
3)	ἀγαπητός	carissimus, dilectus **Rm 16,8; Col 4,7. 9; Phil 2,12; 4,1** dilectissimus[454]
4)	ἄγγελος	angelus
5)	ἄγειν	adducere, agere, ducere[455]
6)	ἁγιάζειν	sanctificare
7)	ἅγιος	sanctus[456] **Hbr 3,1** sanctissimus
8)	ἀγνοεῖν	ignorare
9)	ἀγρυπνεῖν	vigilare
10)	ἀγών	certamen
11)	ἀδελφός	frater
12)	ἄδικος	iniquus, iniustus
13)	ἀδόκιμός	reprobus
14)	ἀεί	semper

---

[453] **2 Cor 9,7** dicit; **Gal 5,14** diges; **Eph 1,6** delecto; **Eph 2,4** misertus est ‹ηλεησεν D P46.

[454] **Rm 1,7** in caritate ‹εν αγαπη G.

[455] **1 Cor 12,2** dem in 75 nicht vergleichbaren απαγομενοι wird nach Wordsworth-White a.a.O. z.St. *euntes* zugeordnet; αγειν = ducere.

[456] **Hbr 9,2** sanctum sanctorum ‹αγια αγιων D*A P46.

15) αἷμα	sanguis
16) αἰσχύνη	pudor, confusio[457]
17) αἰώνιος	aeternus, saecularis[458] 1 Tm 6,16 κρατος αιωνιον – potestas in saecula
18) ἄκακος	innocens
19) ἀκοή	auditus, auris
20) ἀκούειν	audire[459]
21) ἀλήθεια	veritas
22) ἀλλά	sed, verum[460] 2 Cor 1,13 αλλ'η – quam Phil 3,8 αλλα μενουνγε – verumtamen
23) ἀλλάσσειν	mutare, immutare
24) ἀλλήλων	invicem Rm 12,5 alterius alter ? Rm 15,5 εν αλληλοις – in alterutrum; Rm 15, 14 αλληλους – alterutrum; Gal 6,2 alter alterius;
25) ἄλλος	alius, alter[461] 1 Cor 14,29 οι αλλοι – ceteri
26) ἁμαρτάνειν	peccare[462]
27) ἁμαρτωλός	peccator[463] Rm 7,13 η αμαρτια αμαρτωλος – peccatum peccans
28) ἀμελεῖν	neglegere

---

[457] Phil 3,19 confessio.
[458] Hbr 9,14 sancti ‹αγιου D*Sin² P 81. 104. 326. 1319.
[459] Gal 4,21 lesistis ‹αναγινωσκετε DFG 104.436.
[460] Rm 6,5 simul ‹αμα FG.
[461] 1 Cor 10,29 infidelis ‹απιστου FG.
[462] Rm 5,16 peccatum ‹αμαρτηματος DFG 26. 80.
[463] Hbr 12,3 a pectoribus.

29) ἀμήν   amen

30) ἄμμος   arena

31) ἄμωμος   immaculatus

32) ἀναγκαῖος   necessarius
                  Hbr 8,3 αναγκαιον – necesse sit

33) ἀνάγκη   necessitas[464]
                  Hbr 7,12 εξ αναγκης – necesse est
                  Hbr 9,16 αναγκη – necesse est
                  Hbr 9,23 αναγκη – necessario

34) ἀναμιμνήσ-   admonere
    κειν   αναμιμνησκεσθαι – rememorari

35) ἀναστρέφειν   conversari[465]

36) ἀναστροφή   conversatio

37) ἄνθρωπος   homo[466]

38) ἀνιστάναι   exurgere, surgere, resurgere

39) ἀντί   pro, propter
                  2 Th 2,10 ανθ᾽ων – eo quod

40) ἀνυπότακτος   non obaudiens, non subiectus, non subditus

41) ἀνωφελής   inutilis
                  Hbr 7,18 δια το ανωφελες – propter inutilitatem

42) ἄξιος   dignus
                  Rm 8,18 ουκ αξια – indignae

43) ἀπαγγέλλειν   annuntiare, renuntiare

44) ἅπαξ   semel

45) ἀπειθεῖν   diffidere, non credere,
                  Rm 15,31 απο των απειθουντων – ab
                  infidelibus;

---

[464] Vgl. Schäfer Hbr 82: **Hbr 7,27** nesse ‹necessitas?
[465] **Hbr 10,33** conservare.
[466] **Col 1,28** omni ‹homini?›; **Hbr 5,1** ominibus.

Hbr 3,18 τοις απειθησασιν – contumacis[467];
Hbr 11,31 τοις απειθησασιν – infidelibus cum
contumacibus.

46) ἀπεκδέχεσθαι expectare

47) ἀπιστία incredulitas, diffidentia[468]

48) ἀπό ab, de, ex[469]

49) ἀποδιδόναι reddere, remunerare, vendere[470]

50) απολλυειν perdere
απολλυσθαι – perire

51) ἀπολύτρωσις redemptio[471]

52) ἀποστέλλειν mittere

53) ἀπόστολος apostolus

54) ἀποστρέφειν se avertere[472]

55) ἀποτίθεσθαι deponere[473]

56) ἀπώλεια perditio, interitus[474]

57) ἄρα ergo, igitur, itaque
Rm 5,18; 7,3. 25; 8,12; 9,16 αρα ουν – igitur;
Gal 6,10; Eph 2,19; 1 Th 5,6 αρα ουν – ergo;
Rm 9,18 αρα ουν – igitur ergo;
Rm 14,12; 2 Th 2,15 αρα ουν – itaque;
Rm 14,19 αρα ουν – itaque ergo;
1 Cor 5,10; 7,14 vgl. επει;
2 Cor 1,17 μητι αρα – numquid.

---

[467] **Hbr 3,18** vgl. τοις απιστησασιν P[46].
[468] **Hbr 3,12** *iniquitatis* werte ich hier als „reading".
[469] **Gal 2,6; Col 1,7** ad.
[470] **1 Tm 5,4** αμοιβας αποδιδοναι – remunerare.
[471] **Col 1,14** *remissio* ist wohl eher die Wiedergabe von αφεσις , das aber in D ausgelassen wird; **Hbr 11,35** deliciis.
[472] **2 Tm 1,15** se adverterunt.
[473] **Rm 13,12** abiciamus ‹αποβαλωμεθα D*FG P[46].
[474] **Rm 9,22** virtus.

58)	ἀρκεῖν	sufficere αρκεισθαι – contentum esse
59)	ἀρνεῖσθαι	denegare, negare, abnegare
60)	ἄρτος	panis
61)	ἀρχή	initium, principium, principatus, princeps, principatum
62)	ἀσθένεια	infirmitas
63)	ἀσθενής	infirmus **Hbr 7,18** δια το αυτης ασθενες – propter suam infirmitatem
64)	ἀσπάζεσθαι	salutare
65)	ἀφαιρεῖν	auferre
66)	ἄφεσις	remissio
67)	ἀφιέναι	relinquere, remittere, dimittere
68)	ἀφιστάναι	discedere **1 Tm 4,1** αποστησονται – recedent
69)	βαπτισμός	baptismus
70)	βασιλεία	regnum
71)	βασιλεύς	rex
72)	βεβαιοῦν	confirmare
73)	βιβλίον	liber
74)	βλέπειν	videre
75)	βοηθεῖν	adiuvare
76)	βούλεσθαι	velle[475]
77)	βρῶμα	esca, cibum
78)	βρῶσις	esca, cibum
79)	γάλα	lac

[475] **2 Cor 1,17** cum cogitassem ‹βουλευομενος DKL.

80) γεύεσθαι   gustare

81) γῆ   terra

82) γίνεσθαι   fieri, effici, nasci, esse
                     μη γενοιτο — absit;
                     μη γινεσθε — nolite;
                     Rm 11,25 γεγονεν — contingit;
                     Rm 16,2 εγενηθη — adsistatis;
                     1 Cor 14,20; Eph 5,17 μη γινεσθε — nolite
                     effici;
                     2 Tm 1,17 γενομενος — cum venisset;
                     Hbr 7,18 αθετησις γινεται — intermittitur;
                     Hbr 9,15 θανατου γενομενου — morte
                     intercedente[476];
                     Hbr 11,6 μισθαποδοτης γινεται — remunerat;
                     Hbr 11,7 εγενετο — institutus est.

83) γινώσκειν   cognoscere, noscere, scire, intellegere
                     Phil 4,5 γνωσθητω — nota fiat

84) γόνυ   genu

85) γράφειν   scribere

86) γυμνός   nudus

87) γυνή   mulier, uxor

88) δάκρυον   lacrima

89) δεῖ   oportet

90) δεικνύναι   demonstrare, ostendere

91) δεξιός   dexter

92) δέσμιος   vinctus[477]

93) δεσμός   vinculum

94) δεύτερος   secundus[478]
                     Hbr 9,28 εκ δευτερου — secundo

---

[476] **Hbr 9,16 ?**

[477] **Phlm 1** apostolus ‹αποστολος D*; **Hbr 10,34** vinculis ‹τοις δεσμοις D²HKLP *Sin* Ψ
P⁴⁶ 104.

[478] **1 Cor 12,28** δευτερον — secundum *(Adverb)*; **Tt 3,10** duo ‹δυο D*.

95) δέχεσθαι   percipere, excipere, suscipere, accipere, recipere

96) διάβολος   diabolus, detractor
                    1 Tm 3,11; Tt 2,3 διαβολους – detrahentes

97) διαθήκη   testamentum

98) διακονεῖν   ministrare[479]

99) διακονία   ministerium, ministratio[480]
                    Rm 12,7 εν τη διακονια – in ministrando

100) διαμένειν   permanere

101) διάνοια   consilium, intellectus, sensus

102) διδάσκαλος   magister, doctor

103) διδάσκειν   docere[481]
                    διδασκεσθαι – discere

104) διδαχή   doctrina

105) διδόναι   dare, tribuere, dedere[482]
                    1 Cor 11,15 δεδοται – est

106) δίκαιος   iustus

107) δικαίωμα   iustitia, iustificatio

108) διώκειν   sectari, persequi, sequi, consequi
                    διωκεσθαι – persecutionem pati, fugare

109) δοκεῖν   videri, putare, existimare, sperare
                    Hbr 12,10 κατα το δοκουν αυτοις –
                    secundum voluntatem suam[483]

110) δόξα   gloria, maiestas, claritas[484]

111) δοξάζειν   magnificare, honorificare, honorare, glorificare,
                    gloriosum facere

[479] **Hbr 6,10** audimus ‹διακουοντες D*.
[480] **Rm 15,31** remuneratio ‹δωροφορια D*FGB.
[481] **Col 2,7** dedicistis.
[482] **Rm 14,12** reddet ‹αποδωσει D*FGB 326. **2 Cor 8,10** deo ‹D̅O̅.
[483] **Hbr 12,10:** vgl. an dieser Stelle auch Schäfer Hbr 101: 65 *secundum quae videbantur illis.*
[484] **1 Cor 15,41** caritate.

112) δουλεία   servitus

113) δύναμις   virtus
                      Hbr 11,34 δυναμις πυρος — impetus ignis

114) δύνασθαι   posse

115) δυνατός   potens
                      Rm 9,22 δυνατον — potentiam;
                      Rm 12,18 ει δυνατον — si fieri potest;
                      Rm 15,1 οι δυνατοι — firmiores;
                      2 Cor 10,4 δυνατα — potentia;
                      Gal 4,15 ει δυνατον — si fieri posset;
                      Hbr 11,19 δυνατος ο θεος — possit deus.

116) δύο   duo
                      1 Cor 14,27 κατα δυο — per binos.

117) δωρεά   donum, donatio[485]

118) ἑαυτοῦ   Wiedergabe durch sui, die reflexiv gebrauchten
                      Personalpronomina der 1. und 2. Person, ipse,
                      Kombinationen davon einschließlich der verstärkten
                      Form mit -met vor dem angehängten ipse,
                      Possessivpronomina
                      Rm 11,25 vgl. παρα;
                      2 Cor 10,12 εαυτους τισιν — quibusdam;
                      Phil 2,3 invicem;
                      1 Th 4,4 suus proprius;

119) ἐγγύς   prope, iuxta[486]
                      Phil 4,5 ο κυριος εγγυς — dominus in proximo
                      est;
                      Hbr 6,8 proxima.

120) ἐγείρειν   suscitare, excitare
                      εγειρεσθαι — resurgere, surgere

[485] **Eph 3,7** modum.
[486] **Eph 2,13** iusta.

121) εἰ⁴⁸⁷

si, et⁴⁸⁸, cum⁴⁸⁹

ει δε – quodsi;

ει μη – nisi;

Rm 2,26 vgl. ουν;

Rm 14,8. 8 .8 .8 εαν τε – sive;

1 Cor 11,25. 26 οσακις εαν – quotienscumque;

1 Cor 13,3 καν – etsi;

1 Cor 14,5 εκτος ει μη – nisi si;

1 Cor 15,2 εκτος ει μη – nisi sine;

1 Cor 15,37 vgl. τυγχανειν;

1 Cor 16,6 vgl. οὐ;

2 Cor 9,4 μη πως εαν – et ne cum;

2 Cor 11,16 ει δε μηγε – alioquin;

2 Cor 11,16 vgl. ως;

Gal 1,7 ει μη – nisi si;

Gal 1,8; Hbr 12,20 κα(ι εα)ν – licet;

Gal 3,4; Eph 3,2; 4,21 ει γε – si tamen;

Col 1,23 ει γε – siquidem;

1 Tm 5,19 εκτος ει μη – nisi;

Hbr 6,14 ει μην – nisi;

122) εἰδέναι

scire, novisse, cognoscere

ουκ ειδεναι – nescire;

1 Th 4,5 τα μη ειδοτα – quae ignorant.

123) εἰρήνη

pax

124) εἷς

unus⁴⁹⁰

Rm 12,5; Eph 5,33 καϑ'εις – singuli;

1 Cor 4,6 εις υπερ του ενος φυσιουσϑε – unus adversus alterum infletur;

---

⁴⁸⁷ Einschließlich εαν/καν

⁴⁸⁸ **Hbr 4,5** et: vgl. Blass, F., Debrunner, A., Grammatik des neutestamentlichen Griechisch, bearbeitet von Friedrich Rehkopf, Göttingen 15 1979; hier: 454,4: ει ist in Schwüren und Beteuerungen im Sinne von „daß nicht" ein Hebraismus.

⁴⁸⁹ **2 Cor 5,3** si tamen ‹ειπερ DFG P⁴⁶; **Hbr 6,9** *nam* evtl. phonetisch begründet: ει και ουτως V tametsi – 75 nam et sic.

⁴⁹⁰ **Rm 3,10** non . . . quisquam ‹ουδεις ‹ουδ'εις?

1 Cor 12,18; Eph 4,7; Col 4,6; 1 Th 2,11;
2 Th 1,3 vgl. εκαστος;
1 Cor 14,31 καϑ'ενα − per singulos;
Phil 1,27 vgl. ψυχη;
1 Th 5,11. 11 εις τον ενα − alterutrum.

125)	εἰσακούειν	exaudire
126)	εἴσοδος	introitus
127)	εἰσφέρειν	inferre
128)	εἶτα	postmodum, deinde[491]
129)	ἐκ	ex, de, ab, per, propter[492]

                              1 Cor 2,12 το πνευμα το εκ του θεου − spiritus dei;
Phil 3,20 εξ ου − unde;
Col 4,16 (εκκλησιαν) την εκ Λαοδικειας − (ecclesiam) qui Laodiciam est;
Tt 2,8 ο εξ εναντιας − adversarius;
Hbr 7,12 vgl. αναγκη;
Hbr 9,28 vgl. δευτερος.

130) ἕκαστος   unusquisque[493], singuli[494]
1 Cor 12,18 εν εκαστον − singula quoque;
Eph 4,7; Col 4,6; 1 Th 2,11; 2 Th 1,3 εις εκαστος − unusquisque;
Hbr 3,13 vgl. ημερα.

131)	ἐκδέχεσθαι	expectare
132)	ἐκδίκησις	vindicta
133)	ἐκεῖ	ibi

                              Rm 15,24 προπεμφθηναι εκει − praemitti illuc

---

[491] 1 Cor 15,5 et postea ‹και μετα ταυτα D*FG; 1 Tm 3,10 et scit ‹et sic ? ‹και ουτω D*?

[492] 2 Cor 1,11 in; 2 Cor 8,7 insuper; 1 Th 2,6; 1 Tm 6,4; 2 Tm 3,6 et ‹ex ? Hbr 1,13 ad.

[493] 1 Cor 3,13 qui fecit hoc ‹ο ποιησας τουτο D*.

[494] *Singuli* nur Hbr 8,11, trotzdem hier unter Berücksichtigung von 1 Cor 12,18 nicht als Indiz für eine Wortschatzdifferenzierung gewertet.

134) ἐκκλησία   ecclesia

135) ἐκλύεσθαι   fatigari, deficere

136) ἐκφεύγειν   effugere

137) ἐλάσσων   minor
Hbr 7,7 minimus[495]

138) ἐλέγχειν   convincere, redarguere, arguere, revincere, increpare

139) ἔλεος   misericordia

140) ἐλπίζειν   sperare

141) ἐλπίς   spes

142) ἐμμένειν   permanere

143) ἐμπίπτειν   incidere

144) ἔνδικος   iustus

145) ἔπειτα   deinde

146) ἐπί   in, super, supra, apud, ad[496]
Rm 7,1; 1 Cor 7,39; Gal 4,1 vgl. χρονος;
Rm 11,3 vgl. οσος;
1 Tm 1,16 επ'αυτω – illi;
1 Tm 5,19 επι δυο – duobus;
2 Tm 2,16; 3,9 vgl. πολυς;
2 Tm 4,4 επι δε τους μυθους εκτραπησονται
– ut fabulas autem convertentur;
Hbr 8,8. 8 συντελεσω επι τον οικον ισραηλ
και επι τον οικον ιουδα – disponam domum
israhel et domus iuda;
Hbr 9,15 επι τη πρωτη διαθηκη – veteris
testamenti;
Hbr 10,28 επι δυσιν – duobus;
Hbr 11,4 επι τοις δωροις – muneribus;

---

[495] **Hbr 7,7** einzige Hbr-Stelle; aber kein echter Kontrast zu *minus*.
[496] **2 Cor 9,6** de ‹εξ D*; **2 Th 3,4** de; **1 Tm 6,13** sub.

7*

Hbr 11,21 επι το ακρον – fastigium;
Hbr 11,30 vgl. ημερα;
Hbr 12,10 vgl. συμφερειν.

147)	ἐπίγνωσις	notitia, cognitio, scientia, agnitio **2 Tm 2,25** εις επιγνωσιν – ad cognoscendam[497]
148)	ἐπίθεσις	impositio
149)	ἐπιλανθάνε-σθαι	oblivisci
150)	ἐπίστασθαι	scire[498] **1 Tm 6,4** μηδεν επισταμενος – nihil sciens; **Hbr 11,8** μη επισταμενος – nesciens.
151)	ἐπιτελεῖν	consummare, perficere
152)	ἐπιτρέπειν	permittere
153)	ἐπουράνιος	caelestis
154)	ἐργάζεσθαι	operari
155)	ἔργον	opus, factum
156)	ἔρχεσθαι	venire, advenire, pervenire
157)	ἔσχατος	novissimus
158)	ἕτερος	alter, alius **Rm 13,8** τον ετερον – proximum suum; **Hbr 5,6** εν ετερω – alio loco.
159)	ἔτι	adhuc **Hbr 11,36** insuper
160)	ἑτοιμάζειν	praeparare, parare
161)	ἔτος	annus

[497] **Col 3,10** in gnitionem.
[498] **1 Tm 6,4** und **Hbr 11,8** sind zwar die beiden einzigen Stellen dieses Lemmas, trotzdem habe ich es der dritten Liste zugeordnet, da *scire* als Analogon von επιστασθαι noch deutlich zu erkennen ist.

162) εὐαγγελίζειν evangelizare, praedicare, annuntiare
Rm 15,20 φιλοτιμουμενον ευαγγελιζεσθαι
– hoc praedicabi euangelium

163) εὐάρεστος placens, beneplacitum, placere (ευαρεστος
ειναι), quod placeat (το ευαρεστον)

164) εὐδοκεῖν (sibi) placere, probare, cupere, conplacere,
consentire
1 Cor 10,5 ευδοκησεν ο θεος – voluntas fuit
dei;
2 Cor 5,8 ευδοκουμεν – voluntatem habentes.

165) εὐλογεῖν benedicere

166) εὐλογία benedictio

167) ἐφάπαξ semel, simul

168) ἐχθρός inimicus

169) ἔχειν habere
Rm 15,23 επιποθιαν εχω – cupio;
1 Cor 11,4 κατα κεφαλης εχων – velato capite;
**1 Cor 12,21. 21. 24; Eph 4,28; 1 Th 1,8; 4,9.
12; 5,1; Hbr 5,12. 12; 10,36** vgl. χρεια;
2 Cor 8,11 εκ του εχειν – ex abundantia;
2 Cor 12,14 ετοιμως εχω – paratus sum;
1 Tm 1,12; 2 Tm 1,3 χαριν εχω – gratias ago;
1 Tm 5,25 τα αλλως εχοντα – quae aliter se
habent;
2 Tm 2,17 νομην εξει – serpit;
Hbr 6,9 εχομενα σωτηριας – proximiora saluti.

170) ἕως usque ad, usque in, usque, donec, dum

171) ζῆλος aemulatio, zelus[499]

172) ζῆν vivere
**Rm 9,26; 14,9; 2 Cor 3,3; 6,16; 1 Th 1,9;
1 Tm 3,15; 4,10; 2 Tm 4,1; Hbr 4,12** vivus
< ζων

---

[499] **2 Cor 11,2** wohl in Anlehnung an ζηλῶ als zweite Verbform mißverstanden.

173) ζωή   vita

174) ἤ   aut, vel, quam, an, sive[500]
                       2 Cor 1,13 vgl. αλλα

175) ἥκειν   venire

176) ἡλικία   aetas

177) ἡμέρα   dies[501]
                       Rm 14,5. 5 ημερα παρ᾽ημεραν – alterno
                       quoque die;
                       1 Cor 15,31; Hbr 7,27; 10,11 καϑ᾽ημεραν –
                       cottidie;
                       2 Cor 11,28 επιστασις καϑ᾽ημεραν –
                       concursus cottidianus;
                       Hbr 3,13 καϑ᾽εκαστην ημεραν – cottidie;
                       Hbr 11,30 επι επτα ημερας – diebus VII.

178) ϑάλασσα   mare

179) ϑάνατος   mors[502]

180) ϑαρρεῖν   audere, confidere[503]

181) ϑέλημα   voluntas[504]

182) ϑεμέλιος   fundamentum[505]

183) ϑεμελιοῦν   fundare

184) ϑηρίον   bestia

185) ϑησαυρός   thesaurus

[500] **Rm 3,29** ad; **1 Cor 14,6** ut.
[501] **1 Cor 1,8** in adventum ᾽εν τη παρουσια DFG; **1 Th 5,5** deus.
[502] **2 Cor 1,10** moribus; **Hbr 2,14** mortem mortem.
[503] **Hbr 13,6** audiente.
[504] **1 Cor; 7,37; Eph 1,9; 2,3; 5,17** voluptas (volunptas, volumptas) nur als Verschreibung gewertet; vgl. Fischer NT 272: oft verwischt, p ist in *mpt* schwach.
[505] Θεμελιον und ϑεμελιος in der Konkordanz mit je eigenem Lemma; allerdings werden **Rm 15,20; 1 Cor 3,10. 11. 12; Eph 2,20; 1 Tm 6,19; Hbr 6,1** beiden Lemmata zugleich zugeordnet; nur **2 Tm 2,19** und **Hbr 11,10** (mit den Endungen: −ος, bzw. −ους) einem Nominativ ϑεμελιον nicht zuzuordnen. Θεμελιον und ϑεμελιος können daher beide unter ein Stichwort genommen werden.

186)	ϑυγάτηρ	filia
187)	ϑυμός	indignatio, animositas, ira
188)	ϑυσία	hostia, sacrificium[506]
189)	ἴδιος	suus, proprius[507] **1 Cor 4,12** noster; **Gal 2,2** κατ᾽ἰδιαν – secreto; **Eph 5,22; 1 Th 2,14; 4,11** vester.
190)	ἰδού	ecce
191)	ἵνα	ut[508] ινα μη – ut non, ne; **Rm 5,21** ινα ωσπερ – et sicut; **1 Cor 16,6** nisi si; **Hbr 13,19** quod.
192)	ἰσχύειν	valere, posse
193)	καϑάπερ	sicut, tamquam, quemadmodum
194)	καϑαρός	mundus, purus
195)	καϑῆσϑαι	sedere
196)	καϑίζειν	sedere, constituere
197)	καϑιστάναι	constituere
198)	καινός	novus
199)	καίπερ	quamquam[509]
200)	καιρός	tempus, momentum[510]
201)	κακός	malus **Rm 13,4. 4** το κακον ποιειν/πρασσειν – malefacere/agere

---

[506] **Hbr 9,2** sanguis.
[507] **Gal 6,5** το ιδιον φορτιον βαστασει – in proprium onus suum portavit.
[508] **1 Cor 9,22; Eph 6,3. 20; Phil 2,2. 15; 2 Tm 2,4** et ‹ut ?
[509] **Hbr 12,17** *et quamquam:* Beispiel für willkürliche Hereinnahme von et (vgl. Schäfer Hbr 50).
[510] **1 Th 5,1** περι των καιρων – de momentis; **Hbr 9,9** εις τον καιρον – in timore; vgl. Tischendorf Octava z.St.: „corrupte".

202) καλεῖν   vocare

203) καλός   bonus[511]

204) καλῶς   bene

205) καρδία   cor

206) καρπός   fructus

207) κατά   secundum, adversus, in, per, supra, contra, ad,
                     penes, iuxta, pro, super, ante, circa, ex
                     Rm 11,21 κατα φυσιν – naturalibus;
                     Rm 12,5; 1 Cor 14,31; Eph 5,33 vgl. εἰς;
                     Rm 16,5; 1 Cor 16,19; Col 4,15 vgl. οικος;
                     1 Cor 11,4 vgl. εχειν;
                     1 Cor 12,31 καθ'υπερβολην – maiorem;
                     1 Cor 14,27 vgl. δυο;
                     1 Cor 14,40 κατα ταξιν – ordine;
                     **1 Cor 15,31; 2 Cor 11,28; Hbr 3,13; 7,27;
                     10,11** vgl. ημερα;
                     2 Cor 4,13 κατα το γεγραμμενον – sicut
                     scriptum est;
                     2 Cor 8,2 κατα βαθος – profunda;
                     2 Cor 8,8 κατ'επιταγην – quasi imperans;
                     Gal 2,2 vgl. ιδιος;
                     Eph 1,15 την καθ'υμας πιστιν – vestra fide;
                     Eph 6,5; Col 3,22 vgl. σαρξ;
                     Phil 1,12 τα κατ'εμε – quae attinent;
                     Phil 4,11 οτι καθ'υστερησιν – quasi desit
                     aliquid;
                     2 Th 2,3 vgl. τροπος;
                     1 Tm 5,21 κατα προσκλησιν – in aliam partem
                     declinando;
                     Hbr 1,10 κατ'αρχας – initiis;
                     Hbr 3,3; 7,20; 9,27 vgl. οσος;
                     Hbr 6,13 vgl. ουδεις;

[511] **1 Cor 7,26; Hbr 13,9** optimus: Beispiel für Superlativ- statt Positiv-Bildung.

Hbr 9,5 vgl. μερος;
Hbr 9,9 κατα συνειδησιν – conscientia;
Hbr 11,7 κατα πιστιν – fidei.

208) κατακρίνειν   condemnare, damnare

209) καταργεῖν   evacuare, destruere, abolere,
deponere[512]
Rm 7,2 κατηργηται – soluta est;
Rm 7,6 κατηργηϑημεν – soluti sumus.

210) καταρτίζειν   aptare, perficere, instruere[513] supplere

211) καταφρονεῖν   contemnere

212) κατέχειν   detinere, tenere, continere, retinere, possidere

213) κατοικεῖν   habitare, inhabitare

214) κληρονόμος   heres

215) κλῆσις   vocatio

216) κοινός   communis

217) κοινωνεῖν   communicare
Rm 15,27 εκοινωνησαν – participes facti sunt;
Hbr 2,14 κεκοινωνηκεν – participes sunt.

218) κοινωνός   socius, particeps

219) κοσμικός   saecularis

220) κρατεῖν   tenere

221) κρείσσων   melior

222) κρίμα   iudicium, damnatio

223) κρίνειν   iudicare, statuere
1 Cor 6,6 κρινεται – iudicio contendit

224) κρίσις   iudicium
Hbr 9,27 μετα δε τουτο κρισις – et postea
iudicari

---

[512] **Eph 2,15** destituens ‹καταρτισας D*.
[513] **Gal 6,1** instuite.

225) κριτής   iudex

226) κωλύειν   prohibere

227) λέγειν⁵¹⁴   dicere, loqui
                      2 Cor 6,2 λεγει – inquit⁵¹⁵;
                      Hbr 7,9 ως επος ειπειν – quemadmodum dicam.

228) λειτουργεῖν   ministrare

229) λειτουργός   minister
                      Rm 15,16 εις το ειναι με λειτουργον – ut sim
                      serviens

230) λέων   leo

231) λιθάζειν   lapidare

232) λογίζεσθαι   existimare, reputare, arbitrari, deputare, imputare,
                      accepto ferre, aestimare⁵¹⁶, cogitare

233) μακροθυμία   longanimitas, patientia, magnanimitas⁵¹⁷

234) μᾶλλον   magis, potius
                      Rm 8,34 μαλλον δε – immo;
                      1 Cor 14,18 μαλλον γλωσσαις λαλω –
                      linguam aliis loquar;
                      Hbr 11,25 vgl. αιρεισθαι

235) μανθάνειν   discere⁵¹⁸

236) μαρτύριον   testimonium

237) μάρτυς   testis
                      Hbr 12,1 testimonium

238) μάχαιρα   gladius

---

⁵¹⁴ Einschließlich ειρειν.
⁵¹⁵ **Rm 9,26** vocabuntur ‹κληθησονται FG P⁴⁶; **Hbr 5,11** λεγειν geht offensichtlich in *interpretatio* auf; somit wird es nicht als analoge Wiedergabe gewertet.
⁵¹⁶ **Hbr 11,19** λογισαμενος οτι – certus aestimans quod: die Hinzufügung von *certus* kann nicht als Anzeichen eines Wechsels im Wortschatz betrachtet werden.
⁵¹⁷ **Col 3,12** πραυτητα μακροθυμιαν – patientiam modestiam: das von der Satzstellung her eigentlich analoge *modestia* wird πραυτης zugeordnet.
⁵¹⁸ **2 Tm 3,14** dediceris; **Hbr 5,8** dedicit.

239) μέλλειν   Konstruktion mit futurus überwiegt (auf
Futurbildung sowie Coni. periphrast. kann ich hier
nicht eingehen)
Rm 8,13 μελλετε – incipietis
Gal 3,23 εις την μελλουσαν πιστιν
αποκαλυφθηναι – in eam fidem quae postea
retegebatur;
Hbr 8,5 μελλων επιτελειν την σκηνην – cum
consummat tabernaculum.

240) μέν   quidem, autem, enim, nam[519]
Rm 5,16; 2 Cor 9,1; 11,4 μεν γαρ – nam;
1 Cor 5,3; 11,7; 12,8 μεν γαρ – enim;
1 Cor 6,4; Phil 2,23; Hbr 7,11; 8,4; 9,23 vgl.
ουν;
1 Cor 6,7 ηδη μεν – quidem;
1 Cor 7,7 ο μεν ...ο δε – alius ... alius autem;
1 Cor 9,25 μεν ουν – quidem;
1 Cor 11,18 μεν γαρ – quidem;
1 Cor 12,28 ους μεν – quosdam;
Phil 1,16 οι μεν – quidam;
Phil 3,8 vgl. αλλα;
Hbr 7,18 μεν γαρ – igitur;
Hbr 9,1 μεν ουν και – autem et quidem, vgl.
ουν;
Hbr 12,10 μεν γαρ – (et) quidem.

241) μένειν   manere, permanere, perseverare, remanere

242) μερίζειν   dividere, metiri

243) μέσος   medius
1 Cor 6,5 διακρινει ανα μεσον του αδελφου
αυτου – iudicare inter fratrem suum.

---

[519] **2 Cor 12,12** τα μεν – tamen.

244) μετά   cum, post, in, inter, per[520]
                             1 Cor 11,25 μετα το δειπνησαι – postquam
                             cenavit;
                             Hbr 4,8; 9,27 vgl. ουτος;
                             Hbr 7,21 μετα ορκωμοσιας – iureiurando.
245) μεταμέλεσθαι paenitere
246) μετάνοια   paenitentia
247) μετατιθέναι   transferre
248) μέχρι   usque ad, usque in, donec
                             Gal 4,19 μεχρις ού – donec
249) μηδέ   et non, neque, nec[521]
250) μηδείς   nullus, nemo[522], nihil
                             Rm 13,8 μηδενι μηδεν – nemini quidquam;
                             2 Cor 13,7 μη ποιησαι μηδεν – ne faciatis
                             quicquam;
                             2 Th 2,3 vgl. τροπος.
251) μήπω   nondum
252) μήτε   neque
253) μιαίνειν   inquinare
254) μικρός   modicus, pusillus
                             Hbr 8,11 απο μικρου – a minorem.
255) μιμεῖσθαι   imitari
256) μιμητής   imitator
257) μιμνήσκεσθαι memoria tenere, memor esse, memorare,
                             meminisse[523]
                             2 Tm 1,4 μεμνημενος – memor
258) μισεῖν   odisse, odio habere
259) μνημονεύειν   memor esse, memoriam habere, meminisse,
                             memorari[524]
                             2 Th 2,5 μνημονευετε – retinetis

[520] **Hbr 4,16** con.
[521] **Rm 6,13** sed neque; **Rm 9,11** *aut* führt *nondum* (= μηπω) fort.
[522] **1 Th 3,3** ut nemoveatur.
[523] **Hbr 13,3** μιμνησκεσθε – mementote: kann nicht als Indiz eines Wechsels im Wortschatz angesehen werden, auch wenn es die einzige **Hbr**-Stelle ist.
[524] **Hbr 11,22** εμνημονευσεν – memoratus est: nicht als Indiz einer Wortschatzdifferenz gewertet, auch wenn es die einzige **Hbr**-Stelle ist.

260) μοιχός   adulter

261) νεκρός   mortuus

262) νεκροῦν   mortificare
                 νεκρουσθαι – emori

263) νέος   novus
                 1 Tm 5,1 νεωτερους – iuniores;
                 1 Tm 5,2 νεωτερας – adulescentulas;
                 1 Tm 5,11. 14 νεωτερας – adulescentiores;
                 Tt 2,4 νεας – adulescentulas;
                 Tt 2,6 νεωτερους – iuvenes.

264) νήπιος   parvulus, infans

265) νόμος   lex

266) νῦν   nunc, adhuc, modo
                 Rm 3,26; 8,18; 11,5; 2 Cor 8,14; 1 Tm 6,17;
                 2 Tm 4,10; Tt 2,12 hic wird nur in der
                 Verbindung mit αιων oder καιρος verwendet;
                 Rm 8,22 αχρι του νυν – usque adhuc;
                 1 Cor 3,2 vgl. ετι;
                 Phil 1,5 αχρι του νυν – usque nunc.

267) νυνί   nunc[525]

268) ξένος   hospis
                 Hbr 13,9 novus[526]

269) ὁδός   via

270) οἶκος   domus
                 Rm 16,5; 1 Cor 16,19; Col 4,15 κατ'οικον –
                 domestic(us);
                 1 Cor 11,34; 14,35 εν οικω – domi.

---

[525] 1 Cor 15,20 si autem ⟨νυνει δε D: Verwechslung?

[526] Hbr 13,9 και ξεναις – et nobis: diese Schattierung ist mit *hospis* nicht zu vergleichen; allerdings steht mit Hbr 11,13 *hospis* noch eine zweite Stelle zur Verfügung, die die Aufnahme in diese Liste rechtfertigt.

271) οἰκτιρμός   misericordia, miseratio

272) ὁμοίως   similiter

273) ὁμολογεῖν   confiteri
                     Rm 10,10 ομολογειται – confessio fuit.

274) ὁμολογία   confessio[527]
                     Hbr 3,1 constitutio

275) ὀνειδισμός   improperium, opprobrium
                     Hbr 10,33 ονειδισμοις – improperantium

276) ὄνομα   nomen

277) ὅπου   ubi[528]

278) ὅπως   ut

279) ὀργή   ira[529]

280) ὄρος   mons

281) ὅσος   quicumque, quantus, quodquod[530]
                     Rm 7,1; 1 Cor 7,39; Gal 4,1 vgl. χρονος;
                     Rm 11,13 εφ' οσον – quamdiu;
                     Hbr 3,3; 7,20 καϑ'οσον – quantum;
                     Hbr 9,27 καϑ'οσον – quemadmodum.

282) ὅστις   qui, qualis, quicumque

283) ὅταν   cum, quando[531]

284) ὅτε   cum, postquam, quando[532]

---

[527] **Hbr 2,1** *constitutio* ist kein Indiz für einen Wortschatzwechsel; wird von keinem anderen Zeugen an dieser Stelle geboten.

[528] **1 Cor 3,3** οπου γαρ – cum enim.

[529] **Eph 4,31** Die Umstellung in D (και οργη και ϑυμος statt και ϑυμος και οργη) wird hier in Rechnung gestellt; auf diese Weise kann das dort belegte *indignatio* ϑυμος zugewiesen werden.

[530] **Hbr 10,37** donec ‹οϑεν D [οσον οσον.

[531] **Hbr 1,6** *deinde* nur als Zusatz, nicht als Wortvariante zu *cum* gewertet.

[532] **1 Cor 12,2** vgl. οτι; **Hbr 9,17** dum.

285) ὅτι   quod, quia⁵³³, quoniam, quasi
                  1 Cor 12,2 οτι οτε – quoniam;
                  1 Cor 15,27 δηλον οτι εκτος – praeter eum;
                  2 Cor 1,10 [οτι] και ετι – quoniam et;
                  2 Cor 5,19; 11,21; 2 Th 2,2 vgl. ως;
                  Phil 4,11 οτι καϑ'υστερησιν – quasi desit
                  aliquid;
                  2 Th 2,4 quasi;
                  2 Th 2,5 οτι ετι ων – quod cum essem;
                  Hbr 11,14 εμφανιζουσιν οτι πατριδα
                  επιζητουσιν – significant se patriam inquirere.

286) οὗ   ubi
                  **Rm 11,25; 1 Cor 11,26; 15,25; Gal 3,19; Hbr
                  3,13** vgl. αχρι;
                  1 Cor 16,6 οὑ εαν – ubicumque;
                  Gal 4,19 vgl. μεχρι.

287) οὐδέ   neque (nec)⁵³⁴
                  1 Cor 14,21 ουδ'ουτως – nondum
                  Hbr 9,18 οϑεν ουδε η πρωτη (διαϑηκη) –
                  unde pridem prius testamentum non.

288) οὐδείς   nihil, nemo, nullus⁵³⁵
                  1 Cor 9,15 ου ουδενι – non quisquam;
                  Hbr 12,14 χωρις ουδεις – nemo.

289) οὐδέποτε   numquam

290) οὐκέτι   iam non, ultra non, non
                  Hbr 8,12; 10,17 vgl. ετι

291) οὖν   ergo, igitur, itaque, enim, autem
                  Rm 2,26 εαν ουν – igitur;
                  **Rm 5,18; 7,3. 25; 8,12; 9,16. 18; 14,12. 19;
                  Gal 6,10; Eph 2,19; 1 Th 5,6; 2 Th 2,15** vgl.
                  αρα;

---

⁵³³ **Gal 2,16; Hbr 2,6** qui ‹quia?
⁵³⁴ **Rm 3,10** ουκ ουδε εις – non quisquam; **Hbr 13,5** ουδ'ου μη – neque.
⁵³⁵ **Hbr 6,13** κατ'ουδενος – nullum alium: *alius* ist hier nur eine kommentierende
Ergänzung.

1 Cor 6,4 μεν ουν – igitur;
1 Cor 9,25 vgl. μεν;
Phil 2,23; Hbr 7,11; 8,4 μεν ουν – ergo;
Hbr 9,1 μεν ουν και – autem et quidem;
Hbr 9,23 μεν ουν – itaque.

292) οὔπω   nondum

293) οὐρανός   caelum
                         Hbr 7,26 υψηλοτερος των ουρανων
                         γενομενος – excelsior caelestis factus;
                         Hbr 9,23 των εν τοις ουρανοις – caelestium.

294) οὗτος   hic, is, iste, ille, ipse, eiusmodi[536]
                         Rm 1,26; 5,12; 1 Cor 11,30; 2 Cor 13,10;
                         Eph 5,17; 6,13; 1 Th 2,13; 3,5. 7; 2 Tm 2,10;
                         Phlm 15 δια τουτο – propterea;
                         Rm 4,16; 13,6; 1 Cor 4,17; 2 Cor 4,1; 7,13;
                         2 Th 2,11; 1 Tm 1,16; Hbr 1,9; 2,1 δια τουτο
                         – ideo;
                         1 Cor 12,15 παρα τουτο – propterea;
                         1 Cor 12,16 παρα τουτο – ideo;
                         2 Cor 2,1 εκρινα δε εμαυτω τουτο – statui
                         autem hoc ipsum aput me;
                         2 Cor 2,9 εις τουτο – ideo;
                         Hbr 4,8 μετα ταυτα ημερας – postera die;
                         Hbr 9,27 μετα τουτο – postea;
                         Hbr 11,13 ουτοι παντες – omnes.

295) οὐχί   non, nonne[537]

296) ὀφείλειν   debere
                         1 Cor 7,36 οφειλει – oportet

297) ὀφθαλμός   oculus

---

[536] **Col 1,27** deus; **2 Th 3,14** nunc; **Hbr 7,1** sic.
[537] Vgl. Fischer NT 264: bloßes *non* kann statt *nonne* für fragendes ουχι gebraucht werden;
Hbr 1,14 non enim: eventuell aus ursprünglichem *nonne* verhört; auf jeden Fall ist es kein Indiz
für einen Wechsel im Wortschatz.

298) πάθημα   passio

299) παιδεία   disciplina

300) παιδευτής   eruditor

301) πάλιν   iterum, rursus

302) πάντοτε   semper[538]

303) παράβασις   praevaricatio[539]

304) παραγίνεσθαι advenire[540]

305) παραδέχεσθαι recipere

306) παράκλησις   exhortatio, consolatio, solacium
                   2 Cor 8,4 παρακλησεως – prece;

307) παραλαμβά-   accipere, suscipere, percipere
     νειν

308) παραμένειν   permanere, remanere

309) παρεῖναι   praesens esse, adesse
                   2 Cor 11,9 παρων – cum essem;
                   Col 1,6 του παροντος – pervenit.

310) παρρησία   confidentia, fiducia, libertas
                   Col 2,15 εν παρρησια – libere[541]

311) πάσχα   pascha

312) πάσχειν   pati

313) πατήρ   pater
                   Hbr 11,23 υπο των πατερων – a parentibus

314) παύειν   cessare

315) πείθειν   credere, confidere, certum esse, fidere, suadere,
                   fiduciam habere
                   πειθεσθαι – obaudire;

---

[538] **1 Th 4,17** omnes ‹παντες D*.

[539] **Gal 3,19** factorum ‹πραξεων FG P46.

[540] **2 Tm 4,16** adfuit ‹συμπαρεγενετο D Sin² KLP.

[541] **Col 2,15** libere als Wiedergabe von εν παρρησια genügt an dieser Stelle als Gegenbeleg zu **Hbr 3,6; 10,19. 35** libertas, auch wenn die direkte Entsprechung der Konstruktion des Satzes zum Opfer fällt.

8

316) πειρασμός   temptatio

317) περί   de, pro, in, ab, circa
                       1 Cor 7,37 περι του ιδιου θεληματος – suae
                       voluptatis;
                       2 Tm 1,3 περι σου – tuus;
                       Hbr 5,3 περι του λαου – populo;
                       Hbr 10,6 propter;
                       Hbr 10,26 περι αμαρτιων – peccatis.

318) περιαιρεῖν   auferre

319) περιέρχεσθαι   circumire

320) περιπατεῖν   ambulare

321) πικρία   amaritudo

322) πιστεύειν   credere
                       1 Cor 14, 22[2] τοις πιστευουσιν – fidelibus

323) πίστις   fides[542]

324) πιστός   fidelis[543]

325) πλανᾶν   in errorem mittere, seducere
                       πλανασθαι – errare

326) πλάξ   tabula

327) πληθύνειν   multiplicare

328) πνεῦμα   spiritus

329) ποικίλος   varius

330) ποιμήν   pastor

331) πόλις   civitas[544]

332) πόμα   potus

333) πόρνη   meretrix

---

[542] **1 Tm 4,1** veritatis; vgl. **1 Tm 4,3**; **2 Tm 2,18**; **4,4**.
[543] **1 Tm 3,1** humanus ‹ανθρωπινος D*.
[544] **Col 4,13** *Hierapolis* wird in der Konkordanz im Gegensatz zu **Tt 3,12** *Nicopolis* ebenfalls
unter diesem Lemma aufgeführt.

334) πόρνος   fornicator, fornicarius, impudicus

335) πόσος   quantus[545]

336) ποτέ   aliquando, umquam

337) πού   ubi[546]

338) πούς   pes

339) πρέπειν   decere[547]

340) πρεσβύτερος   senior, anus, presbyter
Tt 1,5 πρεσβυτερους – presbyterium

341) πρό   ante
Gal 1,17 προ εμου – praecessores meos;
Gal 2,12; 3,23 προ του ελθειν – priusquam
venisset (3,23 veniret).

342) προάγειν   praecedere

343) πρόβατον   ovis

344) πρόδηλος   manifestus

345) πρός   ad, apud, adversus, contra, circa, secundum[548]
Rm 15,2 εις το αγαθον προς οικοδομην – ad
bonam aedificationem;
1 Cor 12,2 ητε προς τα ειδωλα – eratis
idolorum;
2 Cor 3,13; Eph 6,11 προς το – ut;
2 Cor 13,7 προς τον θεον – deum;
2 Th 3,8 προς το μη – ne;
Hbr 1,7 προς μεν τους αγγελους – angelos
quidem;
Hbr 5,1 τα προς τον θεον – quae sunt deo;
Hbr 5,7 προς τον δυναμενον σωξειν – huic
qui possit eliberarem;
Hbr 12,10 vgl. ολιγος.

---

[545] **Hbr 10,29** ποσω – quanto magis: kein Indiz für einen Wechsel im Wortschatz.
[546] **Gal 4,15** quae erat ergo beatitudo ‹τις (DFGCKL) ουν ο μακαρισμος.
[547] **Hbr 2,10** dicebat.
[548] **1 Th 3,6; Tt 1,16; 3,1** ab; **Hbr 4,13** προς ον – ante quam.

8*

346) προσδέχεσθαι suscipere, excipere, expectare

347) προσεύχεσθαι orare

348) πρόσκαιρος temporalis

349) προσκυνεῖν adorare

350) προσφορά oblatio

351) πρόσωπον facies, vultus, persona
2 Cor 1,11 εκ πολλων προσωπων – in multifacie

352) προφήτης propheta

353) πρῶτος primus, prior
Hbr 9,15 εν τη πρωτη διαθηκη – veteris testamenti

354) πῦρ ignis

355) πῶς quomodo, qualiter, quemadmodum[549]

356) ῥάβδος virga

357) ῥῆμα verbum

358) ῥίξα radix

359) σαλεύειν movere
Hbr 12,27 δηλοι την των σαλευομενων μεταθεσιν ως πεποιημενων – declarat mobilium translationem factorum

360) σάλπιγξ tuba

361) σάρκινος carnalis
Hbr 7,16 εντολης σαρκινης γεγονεν – mandatum carnis factum est[550].

---

[549] **2 Cor 9,4** vgl. ει.
[550] **Hbr 7,16:** auch wenn dies die einzige Hbr-Stelle ist, scheint sie mir doch als Anzeichen eines Wechsels im Wortschatz nicht stark genug.

362) σάρξ   caro[551]
                   Eph 6,5; Col 3,22 τοις κατα σαρκα κυριοις –
                   dominis carnalibus

363) σβεννύναι   extinguere

364) σημεῖον   signum

365) σήμερον   hodie
                   Rm 11,8; 2 Cor 3,14. 15 εως της σημερον
                   ημερας – usque in hodiernum diem[552]

366) σκεῦος   vas

367) σκιά   umbra

368) σπέρμα   semen

369) σπουδάζειν   sollicite curare, festinare[553]
                   Gal 2,10 εσπουδασα – sollicitus fui;
                   Eph 4,3 σπουδαζοντες – solliciti.

370) σπουδή   sollicitudo

371) σταυρός   crux

372) στεῖρα   sterilis

373) στενάζειν   gemere, ingemiscere

374) στεφανοῦν   coronare

375) στοιχεῖον   elementum

376) στόμα   os
                   Hbr 11,34 στοματα μαχαιρης – acies gladii

377) συγκεραννύ-   temperare
     ναι

378) συγκληρονό-   coheres
     μος

[551] **Col 2,5** corpus.
[552] Obwohl sämtliche Nicht-Hbr-Stellen *hodiernus* statt *hodie* bieten, deutet doch nichts
darauf hin, daß der Hbr an vergleichbaren Stellen (bei Verbindung mit *usque* o.ä.) anders gewählt
hätte. Auch der umgekehrte Schluß für Pls ist nicht zu ziehen: die Zuweisung in diese Liste ist also
durchaus zu rechtfertigen.
[553] **2 Tm 2,15** sollicite cura: Adverb oder Doppellesart eines Imperativs?

379) συνείδησις   conscientia

380) σῶμα   corpus[554]

381) σωτηρία   salus

382) τάξις   ordo

383) τεῖχος   murus

384) τέλειος   perfectus
    1 Cor 13,10 το τελειον − quod perfectum est;
    Hbr 9,11 τελειοτερας − perfectum.

385) τέλος   finis, vectigal
    Hbr 6,11 αχρι τελους − in sempiterno

386) τέρας   prodigium

387) τεσσεράκοντα quadraginta[555]

388) τηλικοῦτος   tantus

389) τιϑέναι   ponere, efficere

390) τιμή   honor, pretium

391) τίς   quis, qui
    Rm 8,27 τι το φρονημα − sensus;
    Rm 9,32; 1 Cor 6,7. 7; 2 Cor 11,11 δια τι −
    quare;
    Rm 14,10; Col 2,20 τι − quare;
    Hbr 3,16 τινες − quidam: die gesamte lateinische
    Überlieferung liest hier quidam, also mit dem
    Enklitikon.

392) τις   (ali)quis/-qui; quidam
    Rm 8,39 τις κτισις ετερα − creatura alia;
    1 Cor 6,11 τινες − aliquando;
    2 Cor 10,12 vgl. εαυτου;
    Col 2,16 μη τις − nemo;
    2 Th 3,8 παρα τινος − aliquo;

---

[554] **Rm 8,13** carnis ‹της σαρκος DFG; **Hbr 10,10** sanguinis ‹αιματος D*.
[555] **Hbr 3,10** ·X̄L· ; **Hbr 3,17** X̄L· .

Hbr 2,7 βραχυ τι – paulo minus;
Hbr 2,9 βραχυ τι – paulo (quam);
Hbr 4,6 τινας – reliquos;
Hbr 4,7 τινα ημεραν – aliam diem;
Hbr 12,15 μη τις – neque.

393) τόπος   locus

394) τοσοῦτος   tantus

395) τότε   tunc

396) τράπεζα   mensa

397) τρεῖς   tres

398) τρέχειν   currere

399) ὕδωρ   aqua

400) υἱός   filius

401) ὑπάρχειν   esse, existere, constitutum esse
1 Cor 13,3 παντα τα υπαρχοντα – omnem substantiam;
Gal 1,14 υπαρχων – existens;
Hbr 10,34 αρπαγην των υπαρχοντων υμων – rapinam substantiae vestrae.

402) ὑπέρ   pro, super, de, propter, supra, adversus, per
2 Cor 12,13 υπερ τας λοιπας εκκλησιας – quam ceterae ecclesiae;
Phil 2,13 υπερ της ευδοκιας – prout placet;
Hbr 4,12 υπερ πασαν μαχαιραν – omni gladio.

403) ὑπεράνω   super

404) ὑπό   ab, sub[556]
Col 2,18 φυσιουμενος υπο του νοος – inflatus sensu

405) ὑπόστασις   substantia

[556] 1 Cor 1,11; 6,12; Hbr 2,3 ad.

406)	ὑποστέλλε-σθαι	se subtrahere
407)	ὑποτάσσειν	subicere, subdere υποτασσεσθαι – obtemperare
408)	ὑστερεῖν	deesse, minus facere, neglegere υστερεισθαι – egere, indigere
409)	φάναι	dicere φησιν – inquit
410)	φιλαδελφία	caritas fraternitatis, amor fraternitatis
411)	φιλοξενία	hospitalitas
412)	φυλακή	carcer
413)	φυλή	tribus
414)	φωνή	vox
415)	φωτίζειν	illuminare
416)	χαρά	gaudium
417)	χάρις	gratia[557]
418)	χεῖλος	labium
419)	χείρ	manus
420)	χειροποίητος	manufactus[558]
421)	χείρων	deterior, peior
422)	χρεία[559]	necessitas, usus, desiderium, causa χρειαν εχειν – necessarium esse, operam desiderare, egere, necessitatem pati, opus esse, necesse habere

[557] **Phil 1,7** *gaudium:* Verwechslung mit χαρα; **Hbr 4,16** pax.
[558] Vgl. Tischendorf Codex IX: *manu factus* getrennt, im Original natürlich scriptio continua.
[559] **Rm 12,13** memoriis ‹μνειαις D*FG; **Eph 4,29** fidei ‹πιστεως D*FG 181; Die Übersetzungen des Substantivs χρεια interessieren bei dieser Untersuchung weniger als die von χρειαν εχειν und sind eher der Vollständigkeit halber aufgeführt.

423) χρόνος   tempus
              Rm 7,1; 1 Cor 7,39 εφ'οσον χρονον – quanto
              tempore;
              Gal 4,1 εφ'οσον χρονον – quamdiu.

424) χρυσίον   aurum

425) χρυσοῦς   aureus

426) χωρίς   sine, extra, praeter
              Hbr 12,14 vgl. ουδεις.

427) ψεύδεσθαι   mentiri

428) ψυχή   anima[560]
              Phil 1,27 μια ψυχη – unanimes

429) ὧδε   hic[561]

430) ὡς   tamquam, sicut, ut, quemadmodum, quasi, quod,
           quidem, quomodo, velut, dum, quam, qualiter[562]
           ωσ αν – cum, prout
           2 Cor 5,19 ως οτι – quoniam quidem;
           2 Cor 11,16 καν ως – velut;
           2 Cor 11,21; 2 Th 2,2 ως οτι – quasi;
           Phil 2,23 ως αν – mox;
           Hbr 12,27 ως πεποιημενως – factorum[563].

431) ὡσεί   tamquam

432) ὥστε   itaque, ita ut, ita, igitur, ergo, propter quod

433) ὠφελεῖν   prodesse[564]

---

[560] **Eph 6,6; Col 3,23** εκ ψυχης – ex animo: eher als Verschreibung und nicht als Form von *animus* gewertet.

[561] **1 Cor 4,2** ωδε λοιπον – hic iam; **Hbr 7,8** hi.

[562] **2 Cor 1,7** si; **2 Cor 6,9** sind *et* und *ut* als je erstes Wort zweier aufeinanderfolgender Stichen als Wiedergaben von και und ως vertauscht; **2 Tm 2,17** et ‹ut.

[563] **Hbr 12,27**: vgl. Schäfer Hbr 50: ως von 75 hier nicht übersetzt.

[564] *Prodesse/prode esse* nur als orthographische Varianten gewertet; vgl. Schäfer Hbr 24: *prode esse* ist die vulgäre Form für *prodesse*.

Quantitative Würdigung

Ich darf nochmals die Zahlenverhältnisse rekapitulieren: Fünf der sowohl in den Paulinen wie auch im Hebräerbrief gleichzeitig vertretenen 693 Lemmata wurden zu anderen Stichworten geordnet: ἐάν und κἄν zu εἰ; εἴρειν zu λέγειν, κἀκεῖνος zu ἐκεῖνος sowie θεμέλιον zu θεμέλιος. Die verbleibenden 688 Lemmata wurden im Vorfeld der eigentlichen Untersuchung bereits um weitere 130 Einheiten vermindert: um 39 Eigennamen und überdimensionale Stichwörter; um 76 Lemmata aus „äußeren" und 15 Lemmata aus „inneren Gründen". Dagegen verteilte ich μόνον und μόνος auf zwei Einheiten. Es standen somit 559 Stichwörter für die Untersuchung zur Verfügung.

Wichtig ist für uns vor allem die Tatsache, daß 113 dieser 559 beurteilungsfähigen Lemmata (also 20,21 %) zumindest *eine* besondere Wortwahl im Hbr belegen. Ihnen stehen 433 Lemmata in **Liste Drei** gegenüber (77,46 Prozent).

Die Zahlen machen es noch einmal deutlich: mehr als ein Fünftel aller vergleichbaren Lemmata ist als Indiz für eine Differenz im Wortbestand von Pls und Hbr heranzuziehen, d.h.: Der Wortschatz von Pls ist ein anderer als der von Hbr.

„COMPOSITE CHARACTER" (CLARK)?

Nachdem wir rein rechnerisch feststellen konnten, daß der Hbr von den 13 Paulinen linguistisch — zumindest soweit es den Wortschatz anbetrifft — verschieden ist, bemühen wir uns nun um eine Annäherung an die Frage nach der Verschiedenheit der Vorlagen. Die Frage lautet zugespitzt: War der Ahnherr des Claromontanus eine Bibelausgabe, die den Hbr hatte oder nicht?

Bereits Clark wollte in der fraglichen Notiz direkt von der linguistischen Differenz her auf verschiedene Vorlagen schließen; wir haben keine Veranlassung, diesen Schritt in Frage zu stellen:

Eine abweichende griechische Vorlage ist nicht anzunehmen!

Zunächst weise ich in diesem Zusammenhang nochmals darauf hin, daß wirklich nicht die Wahl unseres Lemmatextes Ursache der kontrastierenden Stellen im Hbr sein konnte:
Es war eine Konsequenz aus der Methode des vorigen Abschnitts, alle auffälligen Analoga des Hbr daraufhin zu befragen, ob eine griechische Variante die Ursache sein könnte. Die positiven Ergebnisse wurden als „readings" im Apparat verbucht und gingen erst gar nicht in die eigentlichen Auflistungen und damit in die statistischen Erhebungen ein. Darüber hinausgehend weisen nicht einmal kleinste Spuren auf die Existenz von weiteren Varianten zum Lemmatext hin. Unter der Annahme, daß alle je existierenden Varianten irgendwie überleben konnten[565], müssen wir als ein erstes Resultat festhalten, daß die besondere Wortwahl des Hbr nicht von griechischer Seite her bedingt sein kann. Die Differenzen sind also sicher rein innerlateinischer Herkunft.

[565] Aland Text 67 zum Problem der „Tenazität".

Der Übersetzer des Hbr ist nicht identisch mit dem der Paulinen!

Allein aufgrund der linguistischen Differenz darf noch nicht der Schluß gezogen werden, der Hbr stamme zwangsläufig auch von einem anderen Übersetzer. Es ist durchaus nicht undenkbar, daß derselbe Mann im Bewußtsein, ein andersartiges Griechisch vor sich zu haben, seine Wortwahl an dieser Andersartigkeit orientiert hat: wer etwa ἀγάπη an bestimmten Stellen mit amor wiedergibt, verbaut sich damit doch nicht die Möglichkeit, an anderer Stelle caritas zu verwenden. Abwechslung, um eine Wiederholung zu vermeiden, ist die Regel; Einförmigkeit dagegen ist eher ein Zeichen bewußter Revision[566].

Es ist schwer entscheidbar, ob Änderungen in 75 gegenüber dem ursprünglichen D-Text vom Editor des Claromontanus stammen oder schon in einem Vorgänger vorlagen[567].

Schäfer und Bischoff haben vom Texttyp, zu dem auch der Claromontanus gehört, eine geringe Meinung: sie halten seinen Text für nachlässig, wenig selbständig[568] und sprachlich so ungeschickt, daß er oft sklavisch Anschluß an seine griechische Vorlage suche[569]. Daneben finden wir allerdings auch einige treffsichere Wiedergaben, die zum Teil auch von anderen Handschriften gestützt werden, wie z.B. die Wahl von *propositio* statt *propositum* für die Auslage des liturgischen Brotes (Hbr 9,2) für πρόθεσις oder der wahrscheinlich stilistisch begründbaren Abwechslung *defungi* statt *mori* (Hbr 11,4. 13) für ἀποθνήσκειν; sehen wir auch ab von der technischen Wahl von *impetus* statt *virtus* in Bezug auf Feuer (Hbr 11,34; δύναμις) und der von *acies* statt *os* in Bezug auf ein Schwert (Hbr 11,34; στόμα), so begegnen uns auch einige Fälle, bei denen 75 allein oder nur mit ganz wenigen, zumeist typverwandten Seitenzeugen steht:

* Hbr 10,39 wählt 75 gegen *acquisitio* und *inquisitio* der anderen Zeugen in der Formulierung εἰς περιποίησιν ψυχῆς – *in renascenti⟨a⟩ animae*. Er interpretiert damit schon durch die Wortwahl die Aufnahme der Seele als deren Wiedergeburt.

[566] Thiele VL 2, 25.
[567] Schäfer Hbr 10.
[568] Bischoff, Bernhard, Neue Materialien zum Bestand und zur Geschichte der altlateinischen Bibelübersetzungen, in: Miscellanea Giovanni Mercati (= Studi e Testi 121), Vatikan 1946; 407–436; hier: 433.
[569] Schäfer Hbr 41.

* Ebenfalls ganz ohne Begleitung ist die Wiedergabe von ἐντολή Hbr 9,19 mit *testamentum* statt *mandatum*. Der Dekalog, als Alter Bund begriffen, ist hier in die Übersetzung mit eingeflossen.

* Wenn unter anderem 75 65 das Analogon *reducere* (auch sonst bei 75 (= Rm 10,7)) Hbr 13,20 als Wiedergabe von ἀνάγειν durch *suscitare* ersetzen[570], verdeutlichen sie damit in der Übersetzung, daß „von den Toten auferwecken" genauer ist als „. . . zurückführen".

* Eines der besten Beispiele für die Ausdrucksfähigkeit des Editors sehen wir Hbr 9,26, wo 75 allein[571] θυσία statt seiner sonstigen Wahl *sacrificium* oder *hostia* (also Vorgang oder Opfertier, -gegenstand) mit der interpretierenden Übersetzung *sanguis* wiedergibt: die Aufhebung der Sünden durch das Blut-Opfer Christi.

Ich frage nicht danach, inwieweit der Herausgeber in den genannten und ähnlichen anderen Fällen aus einer vorgefundenen Tradition schöpfte und inwieweit er seine eigene Kreativität einbringen konnte. Die Aufstellung soll lediglich das Verdikt von Schäfer und Bischoff etwas abmildern. Trotzdem müssen wir auf diesem Hintergrund sagen: die Annahme eines einzigen Übersetzers ist aus zweierlei Gründen ganz und gar unwahrscheinlich: Die Fülle der abweichenden Analoga ist in dieser konsequenten Form als gewollte und künstlich herbeigeführte Abwandlung nicht oder nur schwer annehmbar.

Ein zusätzliches schlagkräftiges Argument gewinnen wir aber, wenn wir über den Wortschatz hinaus einen Blick auf grammatikalische Phänomene werfen.

Exkurs:
Betrachtung einiger grammatikalischer Phänomene

Die für den Wortschatz durchaus zu realisierende Vorgabe, das gesamte Material in den Blick zu fassen, ist für den Bereich der Grammatik geradezu illusorisch: hier haben wir nur selten das Hilfsmittel einer Konkordanz zur Verfügung, dazu ist es oft nicht sicher möglich, von lateinischen Phänomenen, die sich zur Untersuchung anbieten, eine vollständige Sammlung aller entsprechenden griechischen Erscheinungen herzustellen.

[570] Ansonsten *educere;* außerdem haben *suscitare:* MAR-M 21; ORA Vis 949.
[571] Andeutungen für denselben Sachverhalt finden wir auch AM fi 3,87; PS-AM Dav; EUS-G h 5,5 und BED tab 2.

a) Gerundium/Gerundivum

Schäfer[572] behauptet, der lateinische Text des Claromontanus habe (soweit es den Hbr anbetrifft) eine Vorliebe für das Gerundium und „derartige" Konstruktionen, wo die Vulgata gern in Nebensätze auflöst. Zur Überprüfung dieser These habe ich zunächst alle Gerundia und Gerundiva im Hbr aufgenommen und ihre zugehörigen griechischen Äquivalente in NA[26] festgestellt. Dabei ergaben sich folgende Verhältnisse:

Von insgesamt 20 Gerundia und 8 Gerundiva sind vier Gerundiva Wiedergaben von εἰς τὸ + Infinitiv (kein Gerundium); drei Gerundia entsprechen einem ἐν τῷ + Infinitiv im griechischen Text (kein Gerundivum); elf Gerundia bzw. Gerundiva übertragen ein Partizip, vier einen Infinitiv; ein Gerundivum finden wir für εἰς + Akkusativ (Hbr 9,26); fünfmal schließlich handelt es sich um iusiurandum, das für uns hier uninteressant ist.

Von 28 aufgefundenen Hbr-Stellen sind also bereits von vornherein 21 auszusortieren (Partizip; Infinitiv; εἰς + Akkusativ, deren Gesamtbestand auch nur im relativ begrenzten Bereich der Paulusbriefe nicht sicher vollständig erhoben werden kann; iusiurandum). Der dazu notwendige Aufwand würde eine eigene Untersuchung für jedes einzelne Phänomen rechtfertigen. Zur Untersuchung stehen hier also lediglich an: εἰς τὸ und ἐν τῷ jeweils in der Verbindung mit dem Infinitiv.

In den folgenden Aufstellungen habe ich den in einem weiteren Schritt mit Hilfe der Konkordanz erhobenen Materialbestand sämtlicher Wiedergaben dieser beiden Lemmata im Claromontanus, also im gesamten Corpus Paulinum einschließlich Hbr aufgeführt. Beide Lemmata müssen je gesondert betrachtet und bewertet werden.

1) εἰς τὸ + Infinitiv

ad + Gerundivum	Rm 1,11; 15,8; 1 Cor 8,10; Gal 3,17; 1 Th 3,2. 2. 5. 13; 2 Th 3,9; **Hbr 8,3; 9,28; 12,10**
ad + Gerundium	1 Cor 11,22. 33; 2 Cor 7,3; **Hbr 7,25**
ad + Substantiv	Rm 12,3
ut + Konjunktiv	Rm 1,20; 3,26; 4,11. 11. 16 [573]. 18; 6,12; 7,4. 5; 8,29; 11,11; 12,2; 15,13. 16; 1 Cor 9,18; 10,6; 2 Cor 1,4; 4,4; 8,6; Eph 1,12. 18; Phil 1,10; 1 Th 2,12. 16; 3,10; 4,9; 2 Th 1,5; 2,2. 6. 10. 11; **Hbr 2,17; 9,14; 11,3; 13,21**
om.	Phil 1,23

Von insgesamt 52 Belegen (44 Paulus; 8 Hbr) bieten für Pls 12 die Gerundium- oder Gerundiv-Konstruktion, 30 die mit *ut;* es besteht also ein Verhältnis von grob gerundet **1:2,5.** Für den Hbr stellen wir ein Verhältnis von **1:1** (4:4) fest; Die Konstruktion mit Gerundivum scheint somit hier wesentlich stärker bevorzugt zu sein, womit die Behauptung von Schäfer bewiesen wäre. Auch unter Absehung der Gerundium-Fälle in den Paulinen ändert sich dieses Verhältnis nur unwesentlich.

---

[572] Hbr 105.

[573] **Rm 4,16** εις το ειναι βεβαιαν – *firma sit*: das einzig denkbare *ut* wird wohl eher aus Versehen ausgelassen.

2) ἐν τῷ + Infinitiv

cum + Indikativ	Rm 3,4; Gal 4,18; **Hbr 3,15**
in + Gerundium	1 Cor 11,21
Gerundium	**Hbr 2,8; 3,12; 8,13**
om.	Rm 15,13

Hier ist das Ergebnis — rein statistisch gesehen — noch eindeutiger als im vorigen Lemma: Hbr wählt an drei von vier Stellen das Gerundium, die Paulusbriefe nur an einer von vieren die Wendung *in* + Gerundium. Allerdings ist hier noch mehr als zuvor einzuschränken, daß die Materialbasis für sichere Aussagen zu klein ist.

b) ὁ δε

Beim ersten Beispiel fanden wir schon eine zu schmale Materialdecke vor. Dies ist auch in einem zweiten der Fall, wo es wiederum höchstens möglich ist, Tendenzen aufzuzeigen:

Wieder bin ich wie im vorigen Abschnitt vorgegangen und habe mit Hilfe einer Wortkonkordanz folgende Liste aller Belegstellen von ὁ δε verteilt auf die entsprechenden Wiedergaben im Claromontanus, erstellt:

qui autem[574]	Rm 8,5 (qui vero); Gal 5,24
quidam autem	Eph 4,11. 11. 11
hic autem	**Hbr 7,21. 24; 12,10**

Auch hier wird ein Bruch von Pls zu Hbr nahegelegt; mehr ist aufgrund der viel zu geringen Stellenzahl nicht zu sagen.

c) ὡς + Partizip

In einem dritten Fall habe ich mit Hilfe der Konkordanz auf die gleiche Weise ὡς + Partizip untersucht; ich darf die Ergebnisse etwas knapper zusammenfassen: im Pls-Teil kommen immerhin noch fünf Stellen bei der Wiedergabe vor, wo kein Partizip verwendet wird (Rm 4,17 ὡς ὄντα — tamquam quae sunt; 1 Cor 4,7 ὡς μὴ λαβών — quasi non acceperis; 7,31 ὡς μὴ καταχρώμενοι — tamquam non utantur; 2 Cor 6,9 ὡς ἀγνοούμενοι καί ἐπιγινωσκόμε-νοι — ut qui ignoramur et cognoscimus; 10,2 ὡς κατὰ σάρκα περιπατοῦντας — tamquam secundum carnem ambulemus); Hbr bietet dies an allen fünf Belegstellen nicht.

d) ἦν...

Interessant und vielversprechend erscheint mir, zuletzt auch noch zu untersuchen, wie ἦν und seine abgeleiteten Formen im Claromontanus wiedergegeben werden: mit Perfekt oder mit Imperfekt. Da dieser Teilausschnitt aus εἶναι ohnehin nur einen vagen ersten Einblick bieten kann, klammere ich das Problem aus, ob der lateinische Text an der einen oder anderen Stelle vielleicht aufgrund stilistischer oder anderer Gründe gar nicht die Wahl zwischen den beiden Formen hatte, sondern von vornherein festgelegt war.

Perfekt	Rm 6,17; 1 Cor 6,11; 16,12; Gal 2,6; Phil 3,7; 1 Th 3,4; Tt 3,3
Imperfekt	Rm 6,20. 20; 7,5; 1 Cor 10,1. 4; 12,2. 19; 13,11; 2 Cor 5,19; Gal 1,10. 22. 23; 2,11; 4,3. 3; Eph 2,3; 5,8; Col 2,14; Phil 2,26; 2 Th 3,10; **Hbr 2,15; 7,10. 11; 8,4. 4; 11,38; 12,21** [575]
om.	Rm 5,13; Gal 3,21

---

[574] 1 Cor 7,7 ο μεν ... ο δε — alius quidem ... alius autem; **Hbr 7,24** his autem 75.
[575] **Hbr 8,7** ην αμεμπτός — vacasset.

Hier scheint mir wieder der Materialbestand zu gering, um ein endgültiges und weiterhelfendes Ergebnis („Hbr nie mit Perfekt") zu formulieren. Als reine Beobachtung und Bestätigung der Ergebnisse aus den Wortlisten lasse ich es allerdings stehen. Auch Pls hat ja sehr viel häufiger das Imperfekt: möglicherweise konnte die identische Verwendung des Perfekts in Hbr mangels einer ausreichenden Zahl an Stellen nur nicht auf die Tempuswahl durchschlagen.

Diese wenigen und zweifellos nicht besonders beeindruckenden Schlaglichter sind nicht alle, die auf der Grundlage unserer Methode machbar gewesen wären: allerdings müssen die meisten Untersuchungen auf grammatikalischem Gebiet methodisch ganz anders angepackt werden und erfordern zunächst eine umfassende, umfangreiche und komplette Bestandsaufnahme der ins Auge gefaßten Phänomene; eine Voraussetzung, die diese Arbeit nicht leisten kann. Die vorgeführten Beispiele machen im Hinblick auf die dabei zu erwartenden Ergebnisse auch nicht viel Hoffnung.

Ich beschränke mich daher auf die wenigen Skizzen oben und halte als Resumé daraus fest: Die Ergebnisse der Wortschatz-Untersuchungen werden nicht widerlegt.

Zwischenergebnis

Die linguistische Differenz ist sicher nicht auf den verschiedenen Sprachcharakter des Hbr im Griechischen zurückzuführen, sondern als Ausdruck der Tatsache anzusehen, daß der Hbr im Claromontanus ursprünglich von einer anderen Person übersetzt wurde als die Paulinen. Machen wir uns noch ein Ergebnis der Vetus Latina-Edition zu eigen, nämlich, daß die Paulinen im Sprachcharakter des **D**-Typs relativ homogen erscheinen, so wird der Befund der Wortlisten noch augenfälliger: wir haben sicher von zwei verschiedenen Vorlagen auszugehen; ob letztendlich auch innerhalb der Paulinen mit solchen − vielleicht schwächer akzentuierten − „textlichen Brüchen" gerechnet werden muß, kann nur eine analoge Untersuchung aller anderen Briefe in ihrem Verhältnis zum jeweiligen Rest des Corpus bringen. Einige Auffälligkeiten, die bereits in den obigen Listen erkennbar sind, lassen zumindest nicht zu, diese Möglichkeit vorschnell beiseite zu schieben.

An der dritten Liste finden wir bestätigt, daß dieselbe Typenbezeichnung für Pls und Hbr in der Vetus Latina-Edition nicht nur aufgrund des identischen „Typ-Definierers" 75 ihre volle Berechtigung hat, zumindest soweit es den Wortschatz betrifft: beide Buchteile überschneiden sich zu einem großen Teil im Wortschatz. Aber: viele der Wiedergaben innerhalb der letzten Liste haben keine Alternativen.

DER CLAROMONTANUS IN VERSCHIEDENEN KONTEXTEN

Diesen Teil der Untersuchung habe ich in drei Bereiche geteilt, die sich wie konzentrische Kreise um 75 herum herausbilden; 75 ist ein Bestandteil der bilinguen Paulus-Edition Z (Corssen) und 75 ist Teil der Textform **D** (Schäfer, Frede); schließlich erarbeiten wir uns an ausgewählten Beispielen ein Bild der Analoga im Bereich der *ganzen* altlateinischen Überlieferung auf der Grundlage der *gesamten* Bibel.

Der Text des Claromontanus im Kontext der Paulus-Bilinguen

Der Claromontanus steht in engem Verhältnis zu den beiden anderen bilinguen Paulushandschriften F und G[576]. Wir wissen bereits, daß Corssen den Augiensis und den Boernerianus auf einen gemeinsamen Vater zurückführte (X), der wiederum, zusammen mit dem Claromontanus vom Archetyp der gesamten Familie der Paulus-Bilinguen (Z) abstammt. Frede hat das Verhältnis von F und G über die schematische Deutung Corssens hinaus präzisieren können. An seinen Ergebnissen ist die folgende Darstellung in erster Linie orientiert.

---

[576] Ausgaben der beiden Handschriften veranstalteten Reichardt, Alexander, Der Codex Boernerianus der Briefe des Apostels Paulus (Dresden A. 145ᵇ), herausgegeben von der Königlichen Öffentlichen Bibliothek zu Dresden, Leipzig 1909, sowie Scrivener, Frederick Henry, An exact transcript of the Codex Augiensis, a graeco-latin manuscript of S. Paul's epistles, deposited in the library of Trinity College, Cambridge, with a critical introduction, Cambridge/London 1859. Vgl. auch Frede Pls 80—87 und Th 26 f.

Die bilingue Edition Z und ihre Nachkommen entstand für den Teil der Paulusbriefe im 4. Jh[577]. Zwei gut zusammenpassende Texte wurden kombiniert, ohne Rücksicht darauf, ob sie veraltet waren oder nicht, und in einem bestimmten Umfang miteinander harmonisiert, ohne eine vollständige Übereinstimmung zu erlangen[578].

Beide Kolumnen des Claromontanus bieten so einen bereits bearbeiteten und emendierten Text; 75 ist gegenüber z schon in vielerlei Hinsicht modifiziert[579].

Wir haben im vorigen Kapitel gesehen, wie diese Beeinflussungen seitens des Griechen Einfluß auf das Ergebnis der Arbeit nehmen konnten, hielten dann aber auch fest: keines der „besonderen Analoga" des Hbr ist offensichtlich auf solche Assimilationsmaßnahmen zurückzuführen.

Dabei ist auch festzustellen, daß im allgemeinen der lateinische Text an den griechischen angeglichen worden ist[580]. Soviel zu den Paulinen.

Die Entstehung der bilinguen Edition Z wird von Schäfer auch für den Hbr in die erste Hälfte bis in die Mitte des 4. Jh datiert, und zwar setzt er[581] das Zitat HIL Ps 124,4, wo dieser Hbr 12,23 zitiert (*in domino fundatorum*), in Beziehung zu dem von **D** (τεθεμελιωμένων‹ τετελειωμένων) beeinflußten *funditorum* in 75 und schließt daraus, daß um die Mitte des 4. Jh in Gallien die Verbindung des Griechen mit dem Lateiner zu einer Bilingue vollzogen gewesen sein muß. Dazu stellt Frede, zumindest soweit es den Hbr anbetrifft, fest:

„Dieser Schluß scheint mir jetzt voreilig und unbegründet. Die im Griechischen nicht ganz fern liegende Verschreibung könnte gut auch in der zu dieser Stelle nicht erhaltenen Erklärung von Ps 124 des Origenes enthalten gewesen sein, die Hilarius benützt; 75 und HIL belegten dann ihre Lesarten unabhängig voneinander. Wahrscheinlich aber handelt es sich nicht um einen Fehler, sondern um eine bewußt gestaltete charakteristische westliche Lesart, die mit der vorausgehenden in Zusammenhang zu setzen ist, die zwischen Gott und Jesus (12,23. 24) den Hl. Geist trinitarisch einbringt."[582]

---

[577] Frede Pls 94: Mitte des 4. Jh; ders. 99: sicher nicht schon zur Zeit von Irenäus oder etwa Novatian entstanden, sonst wäre in der zweiten Hälfte des 4. und Anfang des 5. Jh nicht nur die Verwendung der „isolierten" Form erkennbar; Frede Pls 91 ff; Hbr 1030: Der Claromontanus-Text wird von keinem Schriftsteller benutzt. Vgl. auch Frede 89, 78. Für die Mitte oder die zweite Hälfte des 4. Jh plädiert Fischer Rezension 163; Vogels Harris 277: Der Text ist frühestens Anfang des 5. Jh in Italien entstanden.

[578] Frede 89, 78 f.

[579] Vgl. dazu etwa Corssen 2, 21 ff.

[580] Zimmermann a.a.O. 42; ders. 52: der Einfluß wirkt umgekehrt, wenn D allein steht: vgl. Schäfer Hbr 15 ff; vgl. dazu auch Corssen 2, 5 und Bericht 25. vSoden NT 1939 f vertritt eine andere Position: die griechische Seite wurde ausschließlich an die lateinische angepaßt, nie umgekehrt. Schäfer Hbr 18–20; Frede Hbr 1030: vor allem hat der Grieche 75 beeinflußt, der umgekehrte Weg ist gelegentlich erkennbar. Daneben können wir auch Einflüsse auf 75 von lateinischer Seite aus identifizieren.

[581] Hbr 27.

[582] Hbr 1030.

Die Vereinigung des Griechen mit dem Lateiner war auf jeden Fall in der Mitte des 4. Jh noch nicht nachweislich vollzogen, soweit es den Hbr betrifft. Für die Paulinen ist die Entstehung von Z zu Beginn oder in der Mitte dieses Jahrhunderts allerdings wohl anzunehmen.

Z war nicht die Vorlage des Lateiners z; auch ein weitgehend rekonstruierter Archetyp hätte als Vergleichstext für die Wortlisten keine wesentlich bessere Ausgangsbasis geboten als der „Nestle-Text".

Für uns ist es vor allem wichtig, daß G 77 und F gar keinen Hbr enthalten und auch 78 ihn nur in einer Vulgata mit lokaler bodenseischer Färbung bietet. Augenscheinlich hatte die Stufe X den Hbr weder griechisch noch lateinisch enthalten.

Da auch der Claromontanus nur eine nachträgliche Ergänzung bieten kann, müssen wir den Schluß ziehen, daß Z ohne Hbr angelegt war.

Irgendwann kam dann die Zeit, wo die Codices dieser Edition auf den ursprünglich ausgelassenen Hbr nicht mehr verzichten konnten[583]. Der Brief kam in die Edition spätestens im 6.Jh herein[584]. Allerdings nur in die auf den Claromontanus hinführende Linie[585]. Die Bilinguen vertreten einen von allen anderen Zeugen deutlich zu unterscheidenden Entwicklungsstrang ihrer gemeinsamen Textform: die lateinischen Texte der zweisprachigen Codices sind überaus streng an den begleitenden griechischen Text gebunden. Bereits in Z hörte für den lateinischen Text die Entwicklung auf.

In den Bilinguen wurden auch veraltete griechische Texte erhalten[586]; die Handschriften wurden wegen ihres hohen Alters und ihrer besonderen äußeren Gestalt abgeschrieben[587]. D ist also ebenso wie FG Zeuge für eine Textgestalt, die sich in einem frühen Moment ihrer Entwicklung aus der allgemeinen Entwicklung der eigenen wie anderer Texttypen verabschiedet hat und lediglich noch mehr oder weniger akkurat kopiert wurde.

Das Fragment 0230 (PSI 1306) hat Ähnlichkeit mit 75 und ist in der Zeilenlänge oft mit ihm identisch[588], Dahl vermag in seiner Abhandlung aber

---

[583] Corssen 2, 18.
[584] Corssen 2, 17.
[585] Vgl. z.B. auch Frede 89, 129.
[586] Hug a.a.O. 146.
[587] Ebenda 150.
[588] Dahl a.a.O. 93.

nicht zu sagen, ob es vom bilinguen oder vom isolierten **D**-Text abhängig ist[589]. Frede dagegen lehnt einen Zusammenhang mit den Bilinguen wie mit dem **D**-Typ ab und ordnet das Fragment einem norditalienischen **I**-Typ zu[590].

Im Gegensatz dazu ist die „isolierte" Gruppe von einem Griechen unabhängig und treibt so ganz im Strom der Textentwicklung: sie wird aktualisiert, mischt sich mit anderen Textformen und bildet mit ihnen zusammen neue Typen[591].

---

[589] Ebenda 96, der allerdings den bilinguen Zweig vorzieht.
[590] Frede Pls 100.
[591] Vgl. ebenda vor allem 101; ders. 89, 82; ders. Th 147.

Der Text des Claromontanus im Kontext der übrigen Zeugen seiner Textform

Wir können uns bei der Darstellung der Verhältnisse auf die grundlegenden Arbeiten von Schäfer und Frede zum Hbr stützen, wenn wir nun den Begriff des Texttyps in die Untersuchung einführen:

Schäfer kennt außer **V** nur **D**, **A** und einige „Mischtexte". Seither ging die Textforschung weiter, mit dem Ergebnis, daß auf der Grundlage jüngerer Erkenntnisse einige der von Schäfer bestimmten **D**-Zeugen einem anderen Texttyp zugeordnet werden müssen[592], während andere Autoren hinzugekommen sind, die passagenweise Spuren von **D**-Text erkennen lassen. Neben dem inzwischen grundsätzlich dem **J**-Typ zugeordneten Ambrosius zeigt — wie die ersten Faszikel der Vetus Latina- Ausgabe des Hbr belegen — Mutian ebenfalls solche Reste, auch wenn diese bei ihm, da es sich um eine eigene Übersetzung handelt, nur mit Vorsicht als Zeugen eines Bibeltextes gewertet werden dürfen.

Frede erweitert — auf dem Hintergrund seiner Arbeiten über die Paulinen — dieses Schema um die Textformen **K**, **I**, **J** und **C**. Er stellt ein Typen- und Verwandtschaftsprofil im Vergleichsbereich Hbr 10,23-39 auf[593].

Es geht in diesem Abschnitt vor allem um die Frage, ob bei den anderen Zeugen dieses Texttyps und in den anderen Texttypen der lateinischen Pls- und Hbr-Überlieferung mit solchen linguistischen „Brüchen" wie im Claromontanus zu rechnen ist.

Exkurs:
Überblick über die anderen Textformen im Hbr

a) Nur schwer einer lateinischen Textform zuzuordnen oder gelegentlich als „X" bezeichnet:

Tertullian um 200 kennt den Hbr, allerdings unter dem Namen des Barnabas; sein Text ist wohl eher eine direkte Übersetzung aus dem Griechischen denn als ein Hinweis auf eine bereits bestehende lateinische Hbr-Version zu werten[594]. Auch Victorin von Pettau übersetzt direkt aus dem Griechischen[595], häufig zitiert er nur frei[596]; seine Sonderlesarten sind für die Textge-

---

[592] Zum Beispiel AM, der dem Typ **J** zugeordnet werden muß: vgl. Frede Hbr 1036.
[593] Hbr 1037–1048.
[594] Vgl. auch Schäfer Hbr 98 f und Frede Hbr 1027.
[595] Diehl a.a.O. 99 und 121; Schäfer Hbr 22; Frede Hbr 1028.
[596] Schäfer Hbr 22.

schichte fast bedeutungs los[597].

Werfen wir noch einen Blick auf die lateinische Übersetzung des Clemens von Rom, die wahrscheinlich erst nach dem 2. Jh entstanden ist[598]: Hbr 3,2. 5 haben wir zwar ein schönes Beispiel, daß er auch im Wechsel (*inomne/totadomo*) mit 75 gehen kann[599], trotzdem ist bei ihm aufgrund seiner vagen Zitate die Typenzuordnung ähnlich unsicher wie bei TE[600].

b) Der alte afrikanische Text K und seine Weiterentwicklung in der Textform C:

Cyprian kennt den Hbr, auch wenn er ihn nicht zitiert: der Vergleich Jesu mit Melchisedech ist in seinem ep 63 deutlich als aus dem Hbr entnommen zu identifizieren[601]. Der Hbr war also in seiner Bibel, es existierte ein Typ **K** auch hier. Frede gelang es jüngst, auch Spuren der Nachfolgeform **C** zu identifizieren:

PS-AU s Cai II,App. 18, ein afrikanischer Sermo aus dem 5. oder 6. Jh zitiert sicher Hbr 2,13. Er benutzt dabei gegen die gesamte restliche lateinische Überlieferung *infans* statt *puer,* also eine afrikanische Vokabel.

PS-VIG Var bietet zusammen mit dem ebenfalls afrikanischen Sermo des 5. Jh PS-AU s 114, der sicher CY pat zitiert, Lesarten, die sonst weder zu **D** noch zu **A** oder **V** gehören.

Im Fragment 81 ist *indictoaudientia* als Übersetzung von παρακοή in Hbr 2,2 vielleicht afrikanisch[602].

Überhaupt werden in europäischen Texten afrikanische Spuren – wenn auch noch schwer auffindbar – versteckt sein.

Der älteste aufzuweisende Texttyp sowohl in den Paulinen wie auch im Hbr – gegen die bisherige opinio communis[603], in Phlm und Hbr würden (wenn auch aus unterschiedlichen Gründen) entsprechende Zitate fehlen – ist also **K,** der *per definitionem* den Text der Bibel in der Form wiedergibt, die CY vor sich hatte, also einen afrikanischen Text aus der Mitte des dritten Jahrhunderts; seine Spuren und die des aus ihm geflossenen weiterentwickelten Typs **C** finden wir in den Paulinen, aber auch bei donatistischen Schriftstellern, bei AU, PS-AU spe, PS-VIG Var, HIL, 61, PAC, AMst, PAU-N; aber auch bei LUC und HIL[604]. Von allen späteren Textformen unterscheidet er sich vor allem im Wortschatz scharf[605].

c) Der Texttyp I

Noch im dritten Jahrhundert entwickelte sich in den Paulinen aus einem nicht mehr erhaltenen europäisch-italischen Zweig des **K**-Textes unter deutlicher Änderung des Wortschatzes der Typ **I,** den wir zuerst bei NO nachweisen können[606]. Andere herausragende Zeugen in den Paulinen

---

[597] Diehl a.a.O. 122; Frede Hbr 1028.

[598] Frede Hbr 1028.

[599] Vgl. Schäfer Hbr 21.

[600] Ebenda 21 und 120.

[601] Dies und das folgende: Frede Hbr 1028 f.

[602] Vgl. zu diesem Punkt auch Souter, Alexander, A Fragment of an unpublished Latin Text of the Epistle to the Hebrews, with a Brief Exposition, in: Studi e testi 37, Miscellanea Francesco Ehrle 1; 39–46. 49, Rom 1924.

[603] Vgl. etwa Frede Th 143.

[604] Frede Eph 31* und Th 146.

[605] Ders. Th 146.

[606] Ders. 147; Fischer NT 188 f sieht MAR als ersten Zeugen.

sind die großen Kommentare des MAR und die des AMst. Dessen Verhältnis zu Vertretern des D-Typs fällt auf, er bietet oft noch die D-Lesart, wo jüngere I- (≙ J)-Vertreter abweichen[607].

Im Hbr müssen wir von der gleichen Entwicklung wie in den Paulinen ausgehen[608]; Novatian-Zitate fehlen allerdings in Hbr, abgesehen von einigen Anspielungen, aus denen aber kein eigener Typ ableitbar ist[609] Auch MAR und AMst fallen aus, da sie den Hbr nicht kommentieren.

Für den Hbr bietet die Handschrift Harley 1772 der British Library die bislang beste Möglichkeit, auf I zuzugreifen: Frede akzeptiert durchaus die These Schäfers, 65 bewahre einen Texttyp, der in den Paulinen eine vielleicht ältere, auf jeden Fall aber elegantere Parallelentwicklung zu D[610], im Hbr aber als Vorstufe zum D-Typ anzusehen ist[611]. Es besteht eine deutliche und starke Verwandtschaft mit 75 [612], und Schäfer sieht in 65 oft den besseren D-Text als in 75 [613].

Mitte des vierten Jahrhunderts war dieser im Grunde elegante und an guten griechischen Texten korrigierte Text[614] in Italien, Illyrien, Gallien und Spanien verbreitet und macht eine rasche Entwicklung durch[615]. Eine solche entwickelte Form ist in J, eine andere Schicht davon in V zu erheben.

d) Die jüngere Textform J

J baut auf I auf, ist aber in den Paulinen nur gelegentlich von I abgehoben, schwer zu identifizieren und wird daher unter I subsumiert[616]. Einen durchgehenden Hbr-Text dieser Form bietet die Budapester Handschrift Nationalmuseum Clmae 1 (89).

Im Hebräerbrief kongruiert 89 weitgehend mit der spanischen Handschrift 109 [617], beide bieten hier vollständige Texte des Typs J [618]. 109 ist allerdings von 89 nicht direkt abhängig, dessen Text eventuell über Burgund nach Spanien kam[619].

e) Der Text Augustins, die Textform A

Eine eigenständige Größe bildet der Text, den wir in 64 und in Zitaten des AU finden: entstanden vielleicht in Italien[620], finden wir Zeugnisse des Typs A nicht nur in Afrika[621], sondern besonders

[607] Frede Th 148.
[608] Ders. Hbr 1034.
[609] Ebenda 1033.
[610] Frede 89, 129; vgl. 130: bei Schäfer ohne Sigel. Von Diehl a.a.O. 101 wurde 65 übrigens als wertlos abgetan.
[611] Schäfer Hbr 113, 120; Frede Hbr 1033 f.
[612] Schäfer Hbr 103; vgl. 110; 104: gemeinsame Schreibfehler 75 65.
[613] Ebenda 105.
[614] Vgl. Frede Eph 33*: wir finden öfters auch Verwilderungen, der Text war lange nicht mit griechischen Texten in Kontakt.
[615] Vgl. Fischer NT 189, der die Ergebnisse Fredes referiert.
[616] Frede Hbr 1031.
[617] Ebenda 1047; vgl. die Vorstellung der Handschrift ebenda 1004 f.
[618] Ebenda 1032.
[619] Ebenda 1004 .
[620] Vgl. schon Ziegler, Leo, Die lateinischen Bibelübersetzungen vor Hieronymus und die Itala des Augustinus, München 1879; hier: 54; vgl. auch Frede Pls 102–120.
[621] Vgl. Frede 89, 151 f: Heidelberg, Universitätsbibliothek 1334 (369/256); CLA 8, 1223; Basel, Universitätsbibliothek B.I.6 (vgl. Frede Pls 117–120); auch in [AU] ep 198 des Hesychius von Salona an Augustin. Vgl. auch Harnack Hbr 211.

auch bei Capreolus, Quodvultdeus, Victor von Vita, Cerealis, Ferrandus; zum Teil auch bei Fulgentius, Pseudo-Vigilius contra Varimadum und Vigilius von Thapsus[622]. Der Übersetzer oder Revisor des A-Textes kennt Texte aus der Entwicklung von D zur Vulgata. Möglicherweise ist dabei gar an eine Entwicklungsstufe von D zu denken[623]. Im Hbr ist A vielleicht eine selbständige Übersetzung gegenüber der Revision in den Paulinen[624].

f) Die Vulgata V

Die Vulgata der Paulinen ist mit hoher Wahrscheinlichkeit eine Schöpfung von Rufin dem Syrer[625], ganz sicher aber ist sie nicht von HI[626] Die Vulgata ist aus dem Texttyp J herausgewachsen, nicht aus einem „isolierten" Zweig von D, der sich zunehmend auf die V zuentwickelte[627], wie Schäfer aufgrund seiner zu weit angelegten Typeneinteilung noch postulieren mußte[628]. Im Hbr ist der Typ J ihr Grundstock. J tilgt weitgehend D-Spezifika wie Wortschatz und bestimmte grammatikalische Erscheinungen, wie etwa die im vorigen Kapitel kurz angesprochene Vorliebe für Gerundia und „ähnliche Konstruktionen" [629]. Die Vulgata der Paulusbriefe ist dagegen ein DI-Gemisch, bei dem der Grundstock D überwiegt, vor allem sein Wortschatz schlägt durch[630].

Schäfer stellte 75 mit Lucifer, daneben auch mit Marius Victorinus, Ambrosiaster, Hilarius, Priszillian, Faustinus, Ambrosius, Filastrius, Gaudentius, Maximinus und — mit Abstrichen — Vigilius von Thapsus zusammen, wobei aber nur LUC sowohl im Hbr, als auch — wie wir aus den bisherigen Ausgaben der Vetus Latina-Edition und den daraus resultierenden Arbeiten wissen — in den Paulinen einen vergleichbar unverstellten, wenn auch nicht ganz identischen Text mit 75 bietet.

[622] Frede Hbr 1035; vgl. DeBruyne reviseur 542; Schäfer Hbr 100.

[623] Frede 89, 130.

[624] Schäfer Rede 12; Frede Hbr 1047; vgl. dagegen Corssen Bericht 30: AU 64 in allen Briefen außer Hbr der Vulgata sehr nahe, wobei wahrscheinlich die Vulgata den Charakter verändert und 64 ihn beibehält.

[625] Fischer NT 251; anders Diehl a.a.O. 130: NO schuf die Vulgata, der HI die endgültige Form gab mit dem Ziel, ein „publikumsgerechtes" Latein zu schreiben. De Bruyne, Donatien, Étude sur les origines de notre texte latin de Saint Paul, Revue Biblique N.S. 12 (1915) 358–392, legt sich auf PEL fest.

[626] Vgl. Fischer NT 250: aus *primum quaeritur* erhellt, daß HI andere Ansichten über Hbr hatte.

[627] Schäfer Hbr 41.

[628] Ebenda 36 f; 42–68; 120 f; vgl. Frede Hbr 1035: das Verhältnis von V zu D und zu anderen Typen wurde von Schäfer nicht geklärt, Schäfer konstituierte keinen Typ I, der schließlich über J zu V führte.

[629] Frede Hbr 1036.

[630] Vgl. zuletzt ebenda 1036.

In der Beuroner Ausgabe wird die **D**-Zeile des Hbr konstituiert durch 75 82 τ⁵⁶· ⁷⁰ (Hbr 1,1-12 in der Weihnachtslesung), Reste in einzelnen Handschriften, LUC sowie Spuren in AM, HIL und anderen Schriftstellern[631], soweit die genannten Zeugen **D**-Text bieten. 89 und die Bilinguen FG stehen ja nicht zur Verfügung.

a) Die handschriftlichen Zeugen

Unter den Handschriften ist nur das Fragment 82 wirklich eng verwandt mit 75 [632]. Es stammt aus der Mappe clm 29270/6 (früher 29055a) der Münchner Staatsbibliothek.

Das am oberen Rand verstümmelte Doppelblatt umfaßt die Verse Hbr 7,8–26 und 10,23–39; seine Vorlage kommt aus Oberitalien[633]. Bischoff stellte im Zusammenhang mit seiner Ausgabe des Textes die Vermutung an, es handle sich um die lateinische Seite einer Bilingue mit ein bis zwei Worten pro Stichus[634]. Die Schrift weist ins neunte Jahrhundert, die Provenienz ist nicht bestimmbar. Der Text ist zwar nicht ohne Fehler, überliefert aber einen besseren **D**-Text als 75 [635]. Daran, daß 82 engere Beziehungen zu **J** und **V** unterhält als 75, läßt sich festmachen: 82 hält den Anschluß an den Fortgang der Textgeschichte, wo ihn 75 bereits verloren hat[636]. Aus den Beziehungen zwischen dem Fragment und Ambrosius sowie Ambrosiaster ist der Text auf das dritte Viertel des vierten Jahrhunderts, vielleicht in die Zeit des Damasus (366–382) zu datieren[637]. 82 gehört zwar zum **D**-Text, hat aber auch Eigengut und steht für Bischoff, der noch die Typeneinteilung von Schäfer übernimmt, an einem Punkt der Entwicklung des **D**-Textes zur Vulgata hin[638]. Der Text des Fragments ist also älter als die Vulgata, allerdings nicht die Urübersetzung des **D**- Typus, ja sogar weiter von dieser entfernt als 75 [639].

Wie eng dieser Text mit 75 geht, zeigt die nachfolgende Zusammenstellung von Lesarten aus **Liste Eins**, die nur von diesen beiden Handschriften bezeugt werden:

1)	αγαπη	Hbr 10,24	amor
2)	αιων	Hbr 7,17	perpetuum
3)	αιων	Hbr 7,21	perpetuum

[631] Nach Frede Hbr 1048.
[632] Ebenda 1047.
[633] Ders. Th 28.
[634] Bischoff 82, 433.
[635] Ebenda 428.
[636] Frede Hbr 1047.
[637] Bischoff 82, 433.
[638] Ebenda 428 f.
[639] Ebenda 432.

| 4) | ϑλιψις | Hbr 10,33 | angustia |
| 5) | υπομονη | Hbr 10,36 | perseverantia[640] |

Frede untersucht in der Einleitung zum Hbr τ[56]. [70] in ihrem Verhältnis zu 75 89 (109) 61 A V, soweit in ihnen Hbr-Passagen übernommen werden.

Es handelt sich dabei zunächst um eine Passage innerhalb der Weihnachtslesung (1,1−12), deren Vorlagentext ein ziemlich treuer Vertreter des **D**-Typs war. Es ist aber nicht zu sagen, wann er in die spanische Liturgie übernommen worden ist. Im Verhältnis zu dieser Perikope hat der Text für die Karfreitagslesung (Hbr 2,14. 15; 9,11−14. 16−20) nur schwache Beziehungen zu 75 und stammt wohl aus einer anderen Quelle[641].

Die Handschrift 81 (= Paris lat. 653 fol. 289V − 292V), von Schäfer als Vulgata mit spärlicher altlateinischer Beimischung qualifiziert[642], ergänzt den interpolierten Pelagius-Kommentar um Hbr[643], sie entstand um 800 in Oberitalien und zwar in einem Scriptorium, das in Beziehung zur Residenz Pippins stand (Monza?)[644]; wir haben hier einen Mischtext vorliegen, der deutlich Relationen zu 89 und anderen oberitalienischen Texten erkennen läßt[645]. Für uns ist interessant, daß 81, wenn es gegen die Vulgata geht, am häufigsten von 75 flankiert wird[646].

b) Die Zitate bei Kirchenschriftstellern

Der Bischof Lucifer von Calaris verfasste 356 im orientalischen Exil[647], wohin er wahrscheinlich seine eigene Bibel mitgenommen hatte[648], die

[640] **Hbr 10,36** υπομονης − perseverantis 75; perseverantia 82 wird noch begleitet von Milano C. 228 inf. fol. 168V, ich habe das Lemma trotzdem in diese Aufstellung aufgenommen.
[641] Frede Hbr 1006−1016 mit ausführlicher Aufarbeitung der dargestellten Lesarten; vgl. auch bereits ders. 89, 147.
[642] Schäfer Hbr 118.
[643] Frede Th 27; vgl. Souter 81.
[644] Frede Th 28.
[645] Ebenda 28; ders. Th 27: der mit ihm verbundene Kommentar stammt teilweise aus AN Hbr.
[646] Souter 81, 40. Vgl. auch Frede Hbr 1002 f, der die enge Verbindung zum Lektionar ρᴾ aufzeigt.
[647] Sämtliche LUC-Schriften sind im Orient entstanden, vgl. auch Vogels Apc 36 und HB 47 sowie Jülicher, Adolf, Kritische Analyse der lateinischen Übersetzungen der Apostelgeschichte, in: Zeitschrift für die neutestamentliche Wissenschaft 15 (1914) 163−188; hier: 180: der Claromontanus und seine Vorgänger sind nicht in Sardinien lokalisierbar.
[648] Jülicher Apg 169; vgl. Vogels Apc 36 und Zimmermann a.a.O. 143: im Orient hat LUC einen sardischen Text verwendet.

polemische Schrift *„de non conveniendo cum haereticis"*, die uns das kompakte Stück Hbr 3,5-4,13 bietet; dieses Stück ist so lang, daß es sicher direkt aus einer Bibelhandschrift abgeschrieben sein muß[649]. Es gab also 356 sicher eine Bibel mit der „isolierten Form", was natürlich nicht gegen eine anderwärts bereits erfolgte Kombination spricht[650].

Alexander Souter machte 1905 auf die auffallend enge Beziehung des Lucifer von Calaris zum Text des Claromontanus aufmerksam[651]. Ähnlich deutete auch Harnack den Befund: er interpretierte die nahe Verwandtschaft von 75 und LUC damit, daß beide dieselbe Übersetzung repräsentierten[652].

Analog zur Aufstellung bei der Handschrift 82 sammle ich auch hier alle Fälle, in denen LUC mit 75 gegen die gesamte restliche Überlieferung steht:

1)	ενωποιν	Hbr 4,13	ante
2)	επαγγελια	Hbr 4,1	mandatum
3)	ερημος	Hbr 3,17	solitudo
4)	καταλειπειν	Hbr 4,1	derelinquere
5)	καυχημα	Hbr 3,6	exultatio
6)	κτισις	Hbr 4,13	creatio
7)	προλεγειν	Hbr 4,7	antea dicere
8)	σκληρυνειν	Hbr 3,13	praedurare
9)	σκληρυνειν	Hbr 3,15	praedurare
10)	σκληρυνειν	Hbr 4,7	praedurare

Es ist für die Untersuchung unerläßlich festzustellen, ob schon die Bibel, die LUC im Exil bei sich hatte, den nachgewiesenen „composite character" des Claromontanus mitbezeugt. Ein positives Resultat hätte zwei Konsequenzen: zum einen wäre damit der Nachweis erbracht, daß der „isolierte" Zweig den selben oder zumindest einen sehr ähnlichen Hbr-Text aufgenommen hat wie die bilingue Claromontanus-Linie; wir könnten aber auch zum zweiten einen früheren terminus ante quem der Hbr-Ergänzung gewinnen, als es mit dem Claromontanus möglich ist.

[649] Vgl. Schäfer Hbr 23; Hartel, W., Lucifer von Cagliari und sein Latein, in: Archiv für Lateinische Lexikographie und Grammatik 3 (1886) 1–58. Merk, August, Lucifer von Calaris und seine Vorlagen in der Schrift „Moriendum esse pro Dei Filio", in: Theologische Quartalschrift 94 (1912) 1–32; hier: 11: LUC mor nur mit einer Anspielung auf Hbr 3,11. Vogels, Heinrich Josef, Die Lukaszitate bei Lucifer von Calaris, in: Theologische Quartalschrift 103 (1922) 23–37; hier: 30; vgl. 37.
[650] Vgl. Schäfer Hbr 26.
[651] Souter Clar 240; ders. 241 lokalisiert dieses Original ursprünglich in Sardinien.
[652] Harnack Hbr 200.

Dazu habe ich alle Lemmata von **Liste Eins** herangezogen, wo LUC mindestens einen Vers der entscheidenden abweichenden Lesart und mindestens einen aus den Paulinen wörtlich zitiert. Um ein gewisses Maß an Sicherheit zu erhalten, daß auch eine Bibel und nicht etwa frei zitiert wird, wurden nur direkte Zitate, und keine Anspielungen beachtet.

a) Die erste Tabelle bietet alle Lemmata, die beide Teile (Pls und Hbr) zugleich abdecken und bei denen LUC und 75 vollständig in ihren vergleichbaren Stellen übereinstimmen. In Klammern ist die Fundstelle in der Ausgabe von Diercks[653] angegeben.

1) διό

2 Cor 6,17	con 13 (187,35. 45)	propter quod
Eph 4,8	Ath 2,29 (125,27)	propter quod
Hbr 3,7	con 10 (180,22)	propter quod
Hbr 3,10	con 10 (180,26)	ideoque[654]

2) ἐισέρχεσθαι

Hbr 3,11	con 10 (180,29)	intrare
Hbr 3,18	con 10 (180,40)	introire
Hbr 3,19	con 10 (180,41)	intrare
Hbr 4,1	con 10 (180,42)	intrare
Hbr 4,3	con 10 (180,45)	intrare
Hbr 4,3	con 10 (180,47)	intrare
Hbr 4,5	con 10 (180,50)	intrare
Hbr 4,6	con 10 (180,51)	intrare
Hbr 4,6	con 10 (180,52)	intrare
Hbr 4,10	con 10 (180,57)	intrare
Hbr 4,11	con 10 (180,70)	intrare

3) ἐνώπιον

Rm 12,17	Ath 2,6 (88,65)	coram
1 Tm 2,3	par 19 (231,11)	coram
1 Tm 5,20	par 19 (232,36. 44)	coram
1 Tm 5,21	par 19 (232,47)	coram
Hbr 4,13	con 10 (181,75)	ante

4) καύχημα

1 Cor 5,6	con 11 (183,16)	gloriatio
Hbr 3,6	con 10 (180,22)	exultatio

---

[653] Diercks, G.F., Luciferi Calaritani opera quae supersunt; Corpus Christianorum 8, Turnhout 1978. Vgl. auch die Bemerkungen zu den Lemmata: hier wird nicht die Frage nach dem ursprünglichen **D**-Text gestellt.

[654] Vgl. Schäfer Hbr 24.

5) πονηρός

Eph 5,16	Ath 2,28 (124,41)	malus
Eph 6,13	mor 5 (277,58)	malus
Eph 6,16	mor 5 (278,62)	nequissimus
1 Th 5,22	Ath 2,29 (125,20)	malus
Hbr 3,12	con 10 (180,30)	malignus

6) προλέγειν

Gal 1,9	par 34 (258,6)	praedicere
Gal 5,21	Ath 2,6 (87,35)	praedicere
Gal 5,21	Ath 2,6 (87,35)	praedicere
Hbr 4,7	con 10 (181,54)	antea dicere

b) Ausschließlich Hbr-Belege sind in den folgenden beiden Tabellen gesammelt; LUC zitiert bei diesen Lemmata keinen einschlägigen Vers aus Pls. Ich füge diese beiden Listen lediglich zur Ergänzung bei.

Zunächst zähle ich die Differenz-Fälle auf. Da es sich nur um Belege aus LUC con 10 handelt, gebe ich dies in der Liste nicht mehr einzeln an. Die Lesart von 75 ist hinter dem Trennzeichen „::" angeführt:

1) ἔρημος

3,8 (180,25)	desertum	:: 75	solitudo
3,17 (180,39)	solitudo	:: 75	solitudo

2) σκληρύνειν

3,8 (180,24)	praedurare	:: 75	obdurare
3,13 (180,32)	praedurare	:: 75	praedurare
3,15 (180,35)	praedurare	:: 75	praedurare
4,7 (181,55)	praedurare	:: 75	praedurare[655]

In Ergänzung zur letzten Auflistung führe ich der Vollständigkeit halber auch die Lemmata an, bei denen LUC (wiederum nur con 10) und 75 bei Lemmata ohne ein LUC-Zitat aus den Paulinen miteinander übereinstimmen:

1)	αχρι	3,13(180,31)	donec
2)	βεβαιος	3,14(180,34)	firmus
3)	επαγγελια	4,1 (180,42)	mandatum
4)	καταλειπειν	4,1 (180,42)	derelinquere
5)	κτισις	4,13(181,74)	creatio
6)	ωσπερ	4,10(181,58)	sicut

Die relativ geringen Abweichungen lassen gar keinen anderen Schluß zu als den, daß die linguistischen Verschiedenheiten innerhalb des Claromontanus in eben der Bibel ein deutliches Gegenstück besitzen, aus der Lucifer seinen Text nimmt. Die seltenen Abweichungen sind wohl auf Beeinflussungen des

---

[655] LUC con 10 (zu 181,55) hat hier in einer Variante (Handschrift G) *obdurare*.

lateinischen Claromontanus von D her oder auf entsprechende Einwirkungen im Bereich der LUC-Bibel zurückzuführen.

LUC bezeugt also im Hbr ebenfalls eine nachträglich ergänzte Form, wenn auch trotzdem noch D-Text vorliegt[656]. Ebenso wie im Fall des Claromontanus weicht der D-Typ aber auch in diesem Entwicklungsbereich im Wortschatz stark von derselben Textform in den Paulinen ab. Vor allem aber scheint der Hbr-Text sehr ähnlich dem in 75 gewesen zu sein.

Dies paßt zum Befund in der Handschrift 89, wo ja auch der Hbr zu einem „isolierten" D-Text ergänzt werden mußte. Dort stand allerdings nur der Text eines anderen Typs zur Verfügung.

Die beiden Vergleichstabellen erscheinen erst im richtigen Licht, wenn wir noch die nächste Liste in die Betrachtung einbeziehen: es zeigt sich nämlich, daß an einer ganzen Reihe von Stellen die von 75 gebotene Lesart ohne jede weitere Bezeugung dasteht[657].

1)	αγαπη	Hbr 6,10	amor
2)	αδικια	Hbr 8,12	malitia
3)	αδυνατος	Hbr 6,4	difficilis
4)	αδυνατος	Hbr 10,4	difficilis
5)	αιων	Hbr 6,20	perpetuum
6)	αληθινος	Hbr 10,22	certus
7)	αναμνησις	Hbr 10,3	memoratio
8)	αναστασις	Hbr 11,35	surrectio
9)	ανομια	Hbr 10,17	scelus
10)	αορατος	Hbr 11,27	hic quod non aspicit
11)	αχρι	Hbr 6,11	in
12)	βεβαιος	Hbr 6,19	fortissimus
13)	βεβαιος	Hbr 2,2	certissimus
14)	βεβηλος	Hbr 12,16	pollutus
15)	διαμαρτυρεσθαι	Hbr 2,6	contestari
16)	διο	Hbr 6,1	igitur
17)	διοτι	Hbr 11,5	quod
18)	εικων	Hbr 10,1	persona
19)	εισερχεσθαι	Hbr 10,5	incedere
20)	ενδεικνυναι	Hbr 6,11	exhibere
21)	εντολη	Hbr 9,19	testamentum
22)	επαισχυνεσθαι	Hbr 11,16	pudet
23)	επει	Hbr 10,2	nam
24)	επιλαμβανεσθαι	Hbr 2,162	suscipere
25)	ερημος	Hbr 3,8	solitudo

[656] Frede Hbr 1030 und 1032.

[657] Die Begleitung durch eine Vulgatahandschrift oder die Anspielung eines Kirchenvaters wird hierbei vernachlässigt.

26)	ευρισκειν	Hbr 9,12	reperire
27)	ϑυσιαστηριον	Hbr 7,13	ara
28)	ϑυσιαστηριον	Hbr 13,10	hostia
29)	καταρα	Hbr 6,8	devotatio
30)	κληρονομειν	Hbr 6,12	potiri
31)	μεσιτης	Hbr 8,6	interventor
32)	μεσιτης	Hbr 9,15	arbiter
33)	μεταλαμβανειν	Hbr 6,7	recipere
34)	νοειν	Hbr 11,3	scire
35)	οραν	Hbr 11,27	aspicere
36)	παρα	Hbr 11,11	super
37)	παραιτεισϑαι	Hbr 12,251	neglegere
38)	παραιτεισϑαι	Hbr 12,252	venia‹m› postulare
39)	παρακαλειν	Hbr 13,19	petere
40)	παρακοη	Hbr 2,2	contumacia
41)	περισσοτερος	Hbr 6,17	primus
42)	πολλακις	Hbr 9,26	aliquotiens
43)	προτερος	Hbr 4,6	primum
44)	τελειουν	Hbr 7,19	consummare
45)	τελειουν	Hbr 9,9	consummare
46)	υπακοη	Hbr 5,8	subditio
47)	φοβος	Hbr 2,15	„timetu"

Berücksichtigt man den geringen Umfang der von LUC und 82 überlieferten Textstücke (LUC con 10: Hbr 3,5 – 4,13; 82: Hbr 7,8–26; 10,23–39), dann relativiert sich diese Liste, denn wir müssen die Möglichkeit einkalkulieren, daß auch in den verlorenen Passagen mit dem Beistand von LUC und/oder 82 zu rechnen gewesen wäre.

Wollen wir auch 75 keine ganz singuläre Position zuschreiben, so ist doch die enge und dabei gegenüber anderer Bezeugung abgeschottete Gruppierung „75, 82 und der von LUC bezeugte Text" klar auszumachen.

Liudprand von Cremona, ein Diakon aus Pavia hielt in der Zeit zwischen 958 und 961 (960?) am Deutschen Hof eine Osterpredigt[658], von der eine Handschrift in der Münchner Staatsbibliothek unter der Signatur clm 6426 aufbewahrt wird, und zwar genau der Faszikel, der im Besitz Liudprands war[659].

Wichtig ist für uns ein Zitat aus Hbr 2,5. 9-12, das durch seine Schrift in einem besseren D-Text überliefert wird als in 75 [660]. Es repräsentiert sicher eine Form des „isolierten" Entwicklungszweiges und gehörte wohl zum heimatlichen Text des Liudprand[661].

[658] Frede, Hermann Josef, Der Text des Hebräerbriefs bei Liudprand von Cremona, in: Revue Bénédictine 96 (1986) 94–99; hier: 98; nach Bischoff, Bernhard, Anecdota Novissima, = Quellen und Untersuchungen zur lateinischen Philologie des Mittelalters 7, 24–34.

[659] Frede Liud 94: er ist eigenhändig von Liudprand mit Notizen versehen.

[660] Ebenda 95.

[661] Ebenda 99.

Hilarius zitiert oft gedächtnismäßig und hat wahrscheinlich oft selbst übersetzt, dieses Eigengut lehnt sich aber an die ihm geläufigen Textformen an: in
Hbr ist er zu **D** zu stellen[662]. Ambrosius, der im Hbr grundsätzlich eine **J**-Text
vertritt, bewahrt auch Spurenelemente von **D**. Priszillian, Marius Victorinus,
Faustinus, Marcellinus, Filastrius, Gaudentius, Faustus, Maximin, Fulgentius
und teilweise Vigilius von Thapsus erhalten in ihren Werken ebenfalls winzige
Reste von Lesarten, die mit dem **D**-Typ übereinstimmen; aufgrund ihres
geringen Textbeitrags sind sie für diese Untersuchung nicht weiter von Belang.

[662] Vgl. Schäfer Hbr 26 f.

Der Claromontanus innerhalb der Überlieferung des biblischen Textes

Wir stellen die Frage, ob wir durch eine tiefergehende Untersuchung der Kontrastlemmata mehr über die Andersartigkeit der Hbr-Vorlage herausfinden können; ist es also möglich, den Wortschatzwechsel im Vergleich mit anderen biblischen Büchern und mit stammverwandten Begriffen textgeschichtlich einzuordnen? Können wir so parallele Wiedergaben ausfindig machen, den Hbr-Wortschatz in die Nähe eines anderen Texttyps oder gar eines bestimmten Autors rücken?

Im Zusammenhang mit der ersten Liste des vorigen Kapitels habe ich bereits Ergebnisse früherer Untersuchungen zu den jeweiligen Lemmata, nach biblischen Büchern sortiert, vorgetragen.

Wenn wir die Zusammenfassungen der Zusatzbemerkungen nochmal unter dem Gesichtspunkt der Frage nach dem „relativen Alter" der besonderen Hbr-Wiedergaben durchgehen, kommen wir zu folgenden Ergebnissen:

a) Mit einiger Wahrscheinlichkeit älter sind die besonderen Analoga des Hbr in folgenden Fällen:

1)	ερημος	solitudo
2)	θελειν	cupere
3)	καθαριζειν	emundare/ purgare
4)	κοινωνια	communio
5)	πλουτος	honestas
6)	πρωτοτοκος	primitivus
7)	υπομενειν	perseverare

b) Genau mit dem Gegenteil ist bei folgenden Lemmata zu rechnen:

1)	αλλοτριος	exterus
2)	δωρον	munus
3)	ενωπιον	ante
4)	ζητειν	inquirere
5)	θρονος	sedes
6)	θυσιαστηριον	ara
7)	ισχυρος	magnus
8)	πονηρος	malignus
9)	τελειουν	consummare

Wir sehen, daß diese Informationen kein einheitliches Bild ergeben: es ist nach den bisher vorliegenden Arbeiten unmöglich auch nur zu sagen, der lateinische Text ist älter oder jünger als der in den Paulinen.

Wir können also von diesem Befund her nicht sagen, ob der Hbr vielleicht ursprünglich in **D** vorhanden war, dann aber ausschied, einige Veränderungen der übrigen Briefe nicht mitmachte und so in einer sprachlich älteren Form später wieder Einzug hielt. Allerdings ist eine solche Entwicklung ohnehin unwahrscheinlich.

Aus diesem Grund ist es notwendig, die griechischen Lemmata in ihrem Gesamtbestand an der lateinischen Wiedergabe zu überprüfen. Eine solche Untersuchung sprengt natürlich den Rahmen dieser Arbeit.

Ein hilfreicher Kompromiß auf dem Weg, Tiefenschärfe zu gewinnen, scheint mir daher zu sein, anhand einiger ausgewählter Beispiele die noch zu leistende Arbeit vorzuführen. Ich habe mich daher auf drei Stichwörter beschränkt: ἀγάπη, ὅσιος und τύπος. Die folgende Untersuchung verfolgt also das Ziel, eine möglichst aussagekräftige „Probebohrung" anzusetzen, um auf diesem Weg herauszufinden, ob sich ein weiterer Aufwand in dieser Richtung überhaupt lohnt; eine komplette Darbietung des Materials ist nicht beabsichtigt.

Die Zitate wurden auf der Grundlage des Beuroner Zettelmaterials unter vergleichender Heranziehung der neuesten Ausgaben, erhoben. Bei mehreren Belegen eines Vaters innerhalb eines Verses gebe ich in aller Regel nur das Namenssigel an.

Für die Psalmen habe ich mich auf die Ausgaben von Weber, De Sainte-Marie sowie die beiden Textrezensionen der Stuttgarter Vulgata beschränkt[663]. Die Angaben zu den ersten beiden Maccabäer-Büchern stammen aus DeBruyne Mcc, für die Evangelien auf Jülichers Itala-Ausgabe[664]. In diesen beiden Bibelteilen sind die einschlägigen Zitate der Väter aus den Indices der jeweiligen Textausgaben gewonnen worden.

Die Verse zähle ich gegebenenfalls nach den genannten Ausgaben, ansonsten geschieht dies grundsätzlich für das AT nach der Stuttgarter Vulgata, für das NT nach N26; Abweichungen von dieser Regel werden besonders angezeigt.

Zitate oder Anspielungen, die sich auf verschiedene Verse beziehen können, werden ohne weitere Verweise angeführt[665].

Jeder Abschnitt beginnt mit einer Wiederholung des entsprechenden Befundes der Handschrift 75 aus **Liste Eins**.

[663] De Sainte-Marie, Henri, Sancti Hieronymi Psalterium iuxta Hebraeos, Collectanea Biblica Latina 11, Rom 1954. Weber, Robert, Le Psautier Romain et les autres anciens psautiers latins, Collectanea Biblica Latina 10; Rom 1953.

[664] Jülicher, Adolf, Itala. Das Neue Testament in altlateinischer Überlieferung, Durchgesehen und zum Druck besorgt von Walter Matzkow und Kurt Aland, Bd. I: Matthäus-Evangelium, zweite verbesserte Auflage, Berlin/New York 1972. Ders., Itala. Das Neue Testament in altlateinischer Überlieferung, Durchgesehen und zum Druck besorgt von Walter Matzkow und Kurt Aland, Bd. II: Marcus-Evangelium, zweite verbesserte Auflage, Berlin 1970. Ders., Itala. Das Neue Testament in altlateinischer Überlieferung, Durchgesehen und zum Druck besorgt von Walter Matzkow und Kurt Aland, Bd. III: Lucas-Evangelium, zweite verbesserte Auflage, Berlin/New York 1976. Ders., Itala. Das Neue Testament in altlateinischer Überlieferung, Durchgesehen und zum Druck besorgt von Walter Matzkow und Kurt Aland, Bd. IV: Johannes-Evangelium, Berlin 1963.

[665] Ein Beispiel sei NO tri 28,22, der sich sowohl auf **Jo 15,9** wie auch auf **Jo 15,10** beziehen kann: er wird ohne weitere Bemerkung in beiden Versen erwähnt.

a) Ἀγάπη

caritas	Rm 5,5. 8; 8,35. 39; 14,15; 15,30; 1 Cor 4,21; 8,1; 13,1. 2. 3. 4. 4.
	4. 8. 13. 13; 14,1 16,14. 24; 2 Cor 2,4. 8; 5,14; 6,6; 8,7. 8. 24;
	13,11. 13; Gal 5,6. 13.22; Eph 1,4. 15; 2,4; 3,17. 19; 4,2. 15. 16;
	5,2; 6,23; Phil 1,9. 16; 2,1. 2; Col 1,13; 2,2; 3,14; 1 Th 1,3; 3,6;
	3,12; 5,8. 13; 2 Th 1,3; 2,10; 3,5; 1 Tm 1,5; 2,15; 4,12; 6,11; 2 Tm
	1,7; 2,22; 3,10; Tt 2,2; Phlm 5. 7. 9
dilectio	Rm 12,9; 13,10. 10; Col 1,4. 8; 1 Tm 1,14; 2 Tm 1,13
amor	**Hbr 6,10; 10,24**

Im AT wird ἀγάπη insgesamt an 20 Stellen bezeugt, von denen elf aus dem Hohelied stammen. Rechnet man auch die Zitate mit, die sich nicht sicher auf die jeweilige Stelle beziehen[666], wird *amor* davon immerhin an zehn Stellen geboten. Zu den Altlateinern: 2 Rg 1,26 wird amor von AM off 3,61 ; Val 79b (367) belegt, ansonsten finden wir es nur noch bei 115 in 2 Rg 13,15. BED Ct 3,5 hat zu den Versen Ct 2,7; 3,5 gegen seine anderen Zitate dieser Verse und vor allem gegen die Vulgata amor, allerdings nur in einer Andeutung.

Dilectio muß gegenüber *caritas* als Wiedergabe deutlich zurückstehen; von den älteren Schriftstellern wird es nur selten verwendet (Beispiele: AM 118 Ps 5,13,1 zu Ct 2,4. 5. 7), weitere Beispiele sind HIL Ps 119,15 in Ct 2,5; HI Ecl 9,5. 6 zu Ecl 9,6 und HI Jr 1,14 in Jr 2,2 [667]. Etwas aus dem Rahmen fällt Ct 8,6, wo alle AU- und HI-Zitate mit *dilectio* arbeiten.

Als Derivat von *dilectio* ist *dilecta* Ct 2,7; 3,5; 8,4 die Wahl der Vulgata. Ct 7,6 bietet die *Vulgata carissima* als Wiedergabe für ἀγάπη; in Sap ist *dilectio* exclusiv.

In den Evangelien begegnet uns ἀγάπη nur an neun Stellen, davon siebenmal in Jo. *Amor* ist dabei ganz unsicher belegt: Mt 24,12 spielen wahrscheinlich QU fer 9; BED Lc 3,8,25; Mc 2,4,40 darauf an; Jo 13,35 wird es vielleicht von SALV gu 5,15 bezeugt und Jo 15,13 nimmt möglicherweise AU ep 185,22 mit *amare* Bezug darauf.

Die Mt-Stelle unterscheidet sich wie die in Lc deutlich von denen aus Jo: *Caritas* ist bei den Synoptikern, im Gegensatz dazu *dilectio* in Jo die sowohl von den altlateinischen Handschriften wie auch von den Vätern häufiger belegte Wahl. Nur Jo 15,13 kann *caritas* mengenmäßig mithalten oder gar

---

[666] Wie zum Beispiel in **Ct 8,7**: BRAU ep 10 (80,27)
[667] Im Gegensatz etwa zu Ct wo dieser in den allermeisten Fällen *caritas* liest.

10*

leicht die Oberhand gewinnen. Die folgende Liste legt den Schwerpunkt vor allem auf das Zeugnis der altlateinischen Handschriften[668]. An der ersten Stelle werden dabei ausgewählte *dilectio*-Zeugen aufgeführt; der Zeugenbestand von *caritas* ist zum Vergleich ebenfalls in Auswahl und kursiv mit angegeben:

Mt 24,12: *dilectio:* HI Agg 1,6 (721,281); AU ep Div 18,3,3. *caritas: alle altlateinischen Handschriften; CY Fo 11 (202,32), LUC Ath 2,22, HIL Mt 25,2, AM Lc 10,18, mort 53, das Gros der AU-und HI-Belege*

Lc 11,42: *dilectio:* 2 (dilectum); TE Marc 4,27; IR 4,12,1; HI Tt (596A). *caritas: 3 4 5 6 8 10 11 13 14 15 17 27 30; AM Lc 7,103; AU ench 76 (91,58), s 106,3* [669].

Die sieben Jo-Stellen sehen dagegen *dilectio* als die bevorzugte Wahl gegenüber einer eher schwachen *caritas*-Bezeugung:

Jo 5,42: *dilectio:* 2 6 8 10 11 13 14 15 27 30 56; HIL tri 9,22. *caritas: 3 4 5*

Jo 13,35: *dilectio:* 2 3 4 5 6 8 10 15 27 30; AMst 2 Cor 13,11; HI Pach (125,8); AU. *caritas: 13 14 56*

Jo 15,9: *dilectio:* 4 6 8 10 14 15 27 30 56; AMst q 123,13; IR 3,20,2; AU. *caritas: 2 3 5 13; NO tri 28,22* [670]

Jo 15,10[1] und 15,10[2]: die beiden Stellen werden von den Handschriften gleichmäßig bezeugt: *caritas wird von 2 3 5 13, sowie beidemale außerdem von NO tri 28,22 und AU ep 140,68;* es steht damit *dilectio* mit 4 8 10 14 15 27 30 56 gegenüber; die erste Stelle wird zudem noch von AMst q 123,13; IR 1,10,1; 3,20,2 und AM Ps 39,20,2 mit *dilectio* wiedergegeben. An der zweiten Stelle kommt darüberhinaus auch noch 6 hinzu[671]. An beiden Stellen stimmen jeweils außer AU ep 140,68 *caritas* alle AU-Belege für *dilectio;*

Jo 15,13: *dilectio:* 4 5 6 8 10 15 27 30 56; AMst Rm 15,6; HI Gal 3 (456A). *caritas: 2 3 13 14; CY te 3,3; LUC Ath 2,26; AU teilt sich gleichmäßig in die zahlreichen Wiedergaben.*

Jo 17,26: *dilectio:* 4 6 10 15 27 30 56; AU. *caritas: 3 5 13 14.*

Dilectus wird — um die bisherigen Angaben zu vervollständigen — Lc 11,42 von 2, in diesem Fall also Jülichers „Afra"-Zeile geboten. An sämtlichen Jo-Stellen übernimmt die Vulgata *dilectio*.

TE beschränkt sich durchgängig auf *dilectio;* AU wählt in seinen früheren Texten nur *dilectio*, ab etwa 400 nimmt caritas vor *dilectio* den ersten Platz ein[672].

[668] Nach Jülicher a.a.O..

[669] Hier wie auch bei allen künftigen Väterzitaten gebe ich nicht an, ob die Wiedergabe gegebenenfalls mehrmals vorkommt, wenn nicht in einem Zitat *mehrere* Möglichkeiten angeboten werden.

[670] 8 delectio.

[671] An der ersten Stelle ausgelassen.

[672] Thiele Diss 144; dieses Ergebnis wurde auf der Materialgrundlage der Johannesbriefe gewonnen.

Paulusbriefe stellen den Abschnitt mit den weitaus meisten Belegstellen für ἀγάπη dar. An 18 der insgesamt 75 Stellen steht *caritas* allein, ansonsten fast immer in bevorzugter Gegenüberstellung zu *dilectio,* das demgegenüber nie allein bezeugt ist.

Einige Autoren lassen deutliche Vorlieben für eine bestimmte Wiedergabe erkennen: für *dilectio* hat nur TE eine ausgesprochene Schwäche[673], während MAR; AM; HIL und LUC sowie mit schwacher Tendenz (10:5 Stellen) auch CY *caritas* bevorzugen. AMst und AU wählen überwiegend *caritas,* aber auch oft *dilectio;* IR zeigt keine besonderen Neigungen[674].

Einer Aufzählung weiterer, wenn auch im großen und ganzen wenig sicherer Wiedergabemöglichkeiten stelle ich natürlich *amor* voran: unsicher belegt sind Rm 8,39 von AN Lc 5,4; Rm 13,101 von PROS epi 38 (im gleichen Vers nur an der ersten Stelle von BED aed 2 (202,429), der – wie PROS epi 38 an der ersten Stelle – *amare* verwendet); 1 Cor 8,1 von AN Paul 1 Cor 38 A und – aber nur mit allergrößtem Vorbehalt, da *amoris* nicht die Wiedergabe von τῆς τελειότητος ist – Col 3,14 von AU cat 17 (141,13). 1 Th 5,13 wird möglicherweise im Kommentar von AMst 1 Th 5,13 angedeutet sowie 2 Th 2,10, wo *amor* aber erst von HI Apc 11,4; VICn Apc 11,4 und BEA Apc 6 (95,15) [675] bezeugt wird; zuletzt sei noch 2 Th 3,5 angeführt, zu dem PEL im Kommentarteil zu dieser Stelle *amor* verwendet[676]. Es kann also – wie schon im AT – kein älterer Zeuge namhaft gemacht werden.

Auf jeden Fall bestätigt und illustriert die Auflistung insgesamt Hans von Sodens Befund: CY gebraucht zunächst *agape,* dann aber auch *caritas* und *dilectio,* das stark im Kommen ist[677]. Nach der Verdrängung von *agape* streiten sich *caritas* und *dilectio:* CY belegt in seinem eigenen Text insgesamt 46:34 Stellen, wobei *caritas* an 22 Stellen davon nur zur Abwechslung verwendet wird; 1 ist an den ἀγάπη-Stellen nicht vorhanden. *Agape* ist zuallererst die Wiedergabe von CY, also für den afrikanischen Wortschatz charakteristisch. *caritas* und *dilectio* sind eher sekundäre, europäische Äquiva-

---

673 Vgl. auch vSoden Cyprian 66.

674 HI Jr h 5 (630A) bietet zu **2 Tm 1,7** entgegen seiner Vorlage die Doppellesart *dilectio et caritas.*

675 RUF pri 2,11,4 wird eventuell auf diese Stelle gemünzt sein.

676 PEL 2 Th 3,5txt caritas; PEL 2 Th 3,5txt (B) dilectio. Unsicher ist, ob *amor* in einer Bibel gelesen wurde.

677 Ebenda 68, 292; vgl. ders. 225.

lente[678], alle drei aber kommen in Afrika vor. CY te 3,18 bezeugt die
Übersetzung *agape* Rm 8,35 und 1 Cor 13,2. 3 wird von CY te 3,3 bezeugt.
Varianten in CY or 16 (zu 100,303) und te 3,64 (zu 155,11) treten
schließlich für *agape* Gal 5,22 ein. CY ep 59,13 wählt zudem 2 Th 2,10
dilectum[679].

Ergänzend zum oben noch einmal aufgelisteten Befund im Codex Claromontanus ist es an dieser Stelle wichtig zu erwähnen, daß Hbr 6,10 *dilectio*
von der Vulgata, den Handschriften 89 109 61, sowie von HI Jov 2,3
(dictionis) und MUT 10 (305/6 an einer von drei Stellen) belegt wird. 64
bietet *caritas. Amor* wird nur von 75 gewählt. Hbr 10,24 dagegen wird 75
von 82 in der Wahl von *amor* gestützt; MUT 19 (359/60) gibt an einer
einzigen Stelle seines Kommentars *dilectio* den Vorzug vor dreifachem *caritas,*
das er auch in seinem Text vorfindet (auch MUT 19 (357/58) hat nur
caritas); aber außer SED-S Hbr[txt] *(dilectio)* bevorzugen sonst alle Zeugen
caritas: PRIS can 49; AU Fau 13,18 mit 64; CAr cpl Hbr 11 (209,1); MUT
20 (361/62); MART I. 1 (413,18); SED-S Hbr[com] (266B); V; 89 109
61* 65; erwähnenswert ist die Korrektur hin zu *claritas* 61[2] (siehe oben)[680].

In den Katholischen Briefen ist *dilectio* gegenüber *caritas* das afrikanische
Wort[681]; *amor* treffen wir nur zweimal an: Jud 2 ist es eine eigene Übersetzung von A-SS Polycarpus tit (133,8)[682]. In den Johannesbriefen kommt es
ebenfalls nur an einer Stelle vor: 1 Jo 4,18 I PEL I. sen 17,1; AU ep 140,49
bietet (in einer Dublette) *amor* vel *caritas*[683].

Caritas ist der von den jeweiligen Texttypen fast durchgängig gebotene
Ausdruck; *dilectio* wird daneben in der Regel vor allem von AU vertreten. Zu
diesem ersten Befund hinzuzunehmen sind folgende ausgesuchte Beispiele:

Dilectio 1 Pt 4,82 auch von TE sco 6,11 bezeugt; 1 Jo 2,15 neben AU
noch von CY or 14 (Var zu 98,263); 1 Jo 4,8 ist es überhaupt die Wahl des
Typs **K**; daneben auch von HIL tri 9,61 und – neben AU – von PS-VIG Var
3,39. 1 Jo 4,16-18 tritt es sogar etwas gehäufter auf: Über das regelmäßige
AU-Zeugnis hinaus finden wir 4,16[2]: auch CY te 3,3 (Var), un 14; im Vers

---

[678] vSoden Cyprian 325; 345.
[679] Damit wird *dilectum* zur Wahl des Texttyps **K** an dieser Stelle.
[680] Vgl. auch **Col 1,13**, wo 61 ebenfalls *caritas* hat.
[681] Thiele Diss 144.
[682] Ders. Cath z.St.
[683] Vgl. ders. Diss 144.

4,17² auch bei TE sco 12,4; fu 9,3; TY reg 3 (25,14); AMst Col 3,14.
4,18¹ begegnen neben TE (an mehreren Stellen) und TY reg 3 (25,14) auch
AM Lc 4,71; 5,15 ⁶⁸⁴; AMst Col 3,14. An der zweiten Stelle des Verses
finden wir neben TE und TY angedeutet auch IR 2,30,7. 3 Jo 6 sowie Jud 12
bietet *dilectio* die Wahl des Texttyps **T**, in Jud 21 sogar die von **TV**.

Eine weitere Alternative zu *caritas* in den Schemazeilen haben wir auch
noch in *agape,* das 1 Jo 3,17; 4,16²·³ die Wahl von **K** ist (im einzelnen belegt
durch CY te 3,1 im dritten Kapitel sowie CY te 3,3 in 4,16²).
Dabei ist *agape* in den Johannesbriefen eher afrikanisch wie *dilectio* gegen das
von den europäischen Texten belegte *caritas*⁶⁸⁵.

Ich darf das herausragende Ergebnis dieser letzten Auflistung nochmal
vergegenwärtigen: obwohl *caritas* für fast alle Texttypen signifikant ist,
bezeugen TE; TY; CY; HIL; AM; AMst; IR; AU vornehmlich *dilectio;* LUC
bietet an seiner einzigen Stelle *caritas.*

An den beiden Stellen der Apokalypse: 2,4. 19 bezeugen 51 und die
Vulgata mit der je breitesten Begleitung stets *caritas*⁶⁸⁶. *Amor* belegen im Vers
2,4: BEA Apc 1 (157,4) an einer von zwei Stellen seines Zitats; HI Apc 1,8;
2,1; VICn Apc 1,8; 2,1; BED Apc 1 (137C) an einer von zwei Stellen⁶⁸⁷,
also keine wirklich frühen Zeugen, auch wenn sie hier den Tyconius-Text
überliefern. Im Vers 2,19 wird *amor* überhaupt nicht gewählt. *Dilectio* wird
von älteren Zeugen nur 2,4, nämlich von TE pae 8,1; und 2,19 von AMst q
102,19 geboten.

Als Übersetzung von ἀγάπησις finden wir *amor* nur an zwei Stellen vor: 2
Rg 1,26² wird es exklusiv von der Vulgata und AM off 3,61⁶⁸⁸; Val 79b
(367;5. 6); RES-R 2321; 6487 belegt. Os 11,4 bietet es 176 gegen
caritas und *dilectio. Amabilis* 2 Rg 1,26¹ und *amicitia* Sir 48,11 als
Vulgata-Wiedergaben sind in diesem Zusammenhang ebenfalls zu nennen. CY
te 2,21 wählt Hab 3,4 zusammen mit FIR err 21,4; HI Hab 2,3,4 dilectio.
300 bietet *dilectum.*

Ansonsten finden wir an insgesamt elf Stellen die Wiedergabe *dilectio,*
caritas nur in den Propheten sowie je einmal *dilectus* und *delectatio.*

---

⁶⁸⁴ Entgegen dem bei ihm sonst üblichen *caritas.*
⁶⁸⁵ Thiele VL 2, 26.
⁶⁸⁶ Vogels Apc 3; 43.
⁶⁸⁷ Vgl. zu *amor* ebenda 51.
⁶⁸⁸ Auch an der ersten Stelle.

Zu ἀγαπᾶν läßt sich festhalten: *amare* ist in fünf von insgesamt elf Genesis-Versen das Gegenstück zu *diligere*, einmal zu *adamare* (Gn 34,3: **E** 101 [689]; AU Gn q 107 (39,1333); H (allerdings als Einschub in Vers 2); hier ist dann auch *amare* belegt: AU Gn q 107 (Var zu 39,1333). Gn 29,30 wählt Hieronymus darüberhinaus in der **H**-Zeile *amorem praeferre* gegen das sonst bezeugte *diligere* (auch HI q (35,16)). Vier Mal schließlich steht *diligere* ohne Alternative da.

In Sir ist *diligere* meist die Wahl der Vulgata und überhaupt deutlich am stärksten bezeugt. *Amare* verwendet A- SS Sabinus Can 3 (325B) im Vers Sir 3,19; wesentlich stärker bezeugt ist es 3,27: durch alle Zeugen[690].

Das Buch der Weisheit sieht *diligere* als allgemeine und umfassende Wiedergabe in allen Versen; es ist sowohl **V**- Wahl, als auch — soweit der Typ an den entsprechenden Belegstellen vorhanden ist — die von **D**.

Alle Textformen des Ersten Maccabäerbuches bezeugen *diligere*.

Sowohl im Psalterium Romanum als auch im Psalterium iuxta Hebraeos sowie im Gallicanum herrscht *diligere* mit erdrückender Übermacht vor. Eine Ausnahme von dieser Grundregel finden wir nur Ps 36,28 in allen altlateinischen Psalterien und dem Gallicanum[691], die für *amare* Zeugnis ablegen[692]. Die übrigen Varianten wie *cupere* oder *laetificare* brauchen uns in diesem Zusammenhang nicht zu interessieren.

Exemplarisch für die Prophetentexte habe ich das Buch Jeremias ausgewählt: auch hier ist, wie in den Psalmen und überhaupt im gesamten AT, *diligere* die am meisten bevorzugte Wahl. Nur Jr 2,25 wird *adamare* als Alternative bezeugt von der Vulgata, von 178 und von HI Jr h 1,33[693]. Im selben Vers finden wir auch *amare* in S*U2 [694], also als einfache Vulgata-Variante.

Diligere ist auch die erste Wahl in den Evangelien, und zwar sowohl in den „europäischen" wie auch den „afrikanischen" Handschriften. Das stärkste Gegenstück dazu haben wir in *amare* vorliegen, das von 2 3 mit je sechs Belegen am häufigsten neben *diligere* bezeugt wird; etwas weniger häufig

---

[689] Adadamare.
[690] **V**; PS-CY sng 42; AU cf 6,22; ci 1,27,12.
[691] 302 303 304 308 309 400 410; AM Ps 36,63,1; AU Ps 36 s 3,9,1; tri 1,21.
[692] 136 300 Psalterium iuxta Hebraeos: *diligere*.
[693] An einer von zwei Stellen; an der anderen: *diligere*.
[694] In der Handschrift U steht *amare* in Rasur.

wählen *amare* 13 (viermal) und 4 (dreimal); nur ein oder zwei Belege finden wir in 5 6 8 11 12 14 15 vor. Die exemplarisch zusätzlich verglichenen LUC; NO; HIL tri sind an den meisten der einschlägigen Stellen leider nicht präsent, an den wenigen Belegstellen bezeugen sie grundsätzlich *diligere*[695]. Ausnahmen davon sind selten: mit *amoris* spielt HIL tri VI,43,14 – folgt man den jeweiligen Indices der Väterausgaben – auf Jo 13,23 und HIL tri VI,43,17 auf Jo 19,26 an. Angeblich wird auch LUC Ath 1,20 auf Mt 22,37 und die Parallele Mc 12,30 bezogen. In allen vier Fällen kann ich allerdings die von dem jeweiligen Herausgeber getroffene Zuweisung vom Textbestand her nicht nachvollziehen.

Auch in den Paulusbriefen ist *diligere* das meistgewählte Analogon: in den Vetus Latina-Ausgaben etwa begegnet es in allen Schemazeilen an allen einschlägigen Stellen; überhaupt bieten sämtliche Handschriften ausschließlich *diligere*. Die seltenen Alternativen werden nur von Vätern geboten[696].

Werfen wir dabei einen Blick auf *amare*: Hier sind die Zeugnisse für den Römerbrief unsicherer als die der übrigen Briefe; Rm 9,13 durch HI Eph 1 (449C). Im Vers Rm 13,8[1] wird es vielleicht von PAU-N ep 27,2 angedeutet (*amorem mutuum* statt *invicem diligere*), 13,8[2] von AMst Rm 13,9. Auf Rm 13,9 schließlich nimmt möglicherweise JUV 4,42 (113) mit *amor* Bezug. Sicheren Boden unter die Füße bekommen wir erstmals 1 Cor 2,9 mit A-SS Fructuosus 3,2; auch 2 Cor 9,7 belegt mit HIL Ps 133,5; POE Mer 20,11 *amare,* ebenso wie Gal 5,14 mit A-SS Sabinus Can 9 (326E). Aus dem Epheserbrief sind vier Zeugnisse für *amare* anzuführen: 5,25[2] stoßen wir auf AM Dav alt 41 und CAr cpl Eph 8 (168,2); möglicherweise Eph 5,28 (HI Ct 2,8) und vielleicht 6,24 (RUF Gn 5,4). Alle vier Belege sind allerdings unsicher.

Hbr 1,9 bezeugt diligere **DJV**, *amare* nur eventuell AU ep 186,40; 12,6 finden wir *amare* unter anderen zwar (teilweise auch nur angespielt) in A-SS Elig 2 (250); AM 118 Ps 9,7,4; HI ep 68,1,5; MAX s Mu 3,2[com]; 33,1; AU 1 Jo 7,11; CAE s 5,3; AM-A Apc 3; **DIJV** aber[697] steht wieder zu *diligere*.

---

[695] Im Index der entsprechenden Ausgaben angezeigte Anspielungen wurden nur berücksichtigt, wenn zum entsprechenden Vers kein direktes Zitat zur Verfügung stand.

[696] Eine Besonderheit muß erwähnt werden: **2 Th 2,13** *dilectare* **V** ?

[697] Provisorisch konstruiert aus den Handschriften 65 75 89 und der Stuttgarter Vulgata. Eine endgültige Klärung muß der Vetus Latina-Edition vorbehalten bleiben.

In den Katholischen Briefen hat CY fast immer *diligere,* daneben aber auch *amare*[698]. Vergleichbar den Paulusbriefen ist *diligere* die Wahl der Schemazeilen **KCSTVMF,** mit der wichtigen Ausnahme: 2 Pt 2,15, wo **V** (zusammen mit PS-HIL-A z.St. (104,232)) *amare* hat. Auffälligerweise nur im Rahmen der Johannesbriefe ist die Wahl von **R** (≙ LUC) *amare* (1 Jo 2,10; 3,10. 11. 14. 14. 23; 4,7. 10. 11. 11. 20. 20. 21. 21; 5,2. 2).

Jud 1 wurden **RTV** mit *diligere* rezensiert[699]. Eine, wenn auch nur von späten Zeugen und insgesamt unsicher bezeugte Alternative ist *amare* außerdem noch in den Versen 1 Pt 1,8; 1 Jo 2,15. 15; 4,19. 19; 5,11. In den Paulinen wie auch in den Katholischen Briefen schimmern Reste weiterer Wiedergabe-Möglichkeiten durch, die allerdings von keinem älteren Zeugen geboten werden.

Die Apokalypse bietet an allen Stellen durchgängig *diligere,* abgesehen von 12,11, wo 12 und PRIM 3 (186,176) – also der alte afrikanische Text – für *amare* votieren.

Ἀγαπητός: Im AT überwiegen die Derivate von *dilectio* deutlich: *dilectus* und *dilectissimus;* diligens wird Ps 126,2 im Psalterium iuxta Hebraeos, *diligibilis* von HI Phlm (607A) zu Is 5,1 geboten: es handelt sich nur um eine eigene Übersetzung des Hieronymus.

Carus, bzw. *carissimus* sind lediglich bezeugt Gn 22,2 (RUF an mehreren Stellen); 22,16 (HI Am 3,8,7. 8); Jdc 11,34 [700] (AU Jdc 49,7 und im Gedicht PS-TE Marc 3,113); Tb 3,10 (130 148 150) und Is 5,1 (HI ep 65,4,2), während die Gruppe *amabilis amantissimus amicus* häufiger auftritt: *amabilis* finden wir Ps 83,1[701] in allen altlateinischen Psalterien (unter anderem mit HIL Ps 14 (85,26)) und Sir 15,13 in der Vulgata; in diesem Vers wird in AU gr 3 (883; von Thiele als Textform **J** gewertet) angedeutet. Ein weiteres Beispiel: HI Jr 2,28 zu Jr 6,26.

Amantissimus begegnet zweimal in der Genesis: 22,2 wird es von AM Abr 1,67 und damit der Textform **I** geboten, 22,16 von PS-AU Do 11 (243,3) und DO 1,55 (von Fischer als Textform **K** gewertet) bezeugt. Schließlich finden wir es auch noch im Psalterium iuxta Hebraeos und PS-HI bre 44

---

698 Vgl. Thiele VL 2, 32.
699 Dilectis ⟨ἠγαπημενοις.
700 Allerdings nur in Abhängigkeit von einer griechischen Variante.
701 Die Zählung an dieser Stelle nach Weber.

(956A) zu Ps 44,1. Im gleichen Psalterium wird auch *amicus* belegt, nämlich zu Ps 59,6.

Im NT ändert sich der Befund deutlich: *dilectio-* und *caritas*-Derivate halten sich bei einem leichten Übergewicht für *carissimus* in etwa die Waage[702]. Ein gutes Beispiel für die Einheit der Vetus Latina-Überlieferung finden wir in folgendem Phänomen: *dilectus* und *dilectissimus* schließen sich meist gegenseitig aus, nur selten sind sie Alternativen im selben Vers: genau gesagt, an 18 von insgesamt 61 Stellen[703]. Die folgenden Angaben über die Väter haben Auswahlcharakter; der Ton liegt auf den Handschriften. Fehler und Wiedergaben anderer Vorlagen als ἀγαπητός werden nicht mitgeführt.

Die Evangelien bevorzugen *dilectus/dilectissimus;* ausnahmsweise finden wir *carissimus* an wenigen Stellen (Mt 17,5: 1 9; Mc 1,11: 6 8; Mc 9,7: 3 4 5 6[704] 8 11 14 15² 16 17 30 [705]; Mc 12,6: 4 5 8 11 14 17 27 30; Lc 20,13: 3 6 8). Von den Handschriften wird *dilectissimus* dabei nur selten gewählt: Mt 3,17: 6; 12,18: 1; 17,5: 21 6; Mc 9,7: 1; 12,6: 6 15 51; Lc 20,13: 13 14 17; deutlich sind es gerade die älteren Handschriften, die den Superlativ wählen. Nur Väter belegen andere Wiedergaben. Als Beispiel dafür in den Evangelien nenne ich Mt 12,18, wo HI ep 121,2,8 *amantissimus* wählt.

An der einzigen Belegstelle der Apostelgeschichte (15,25) wird *carissimus* von 50 51; PS-VIG tri 12,17; **V** geboten, während 5; IR 3,12,14 für *dilectissimus* stimmen: da IR nur eine eigene Übersetzung bietet, sehen wir hier gut die Sonderstellung von 5.

In den Paulusbriefen ist *carissimus* die am meisten bevorzugte Wahl: eine Betrachtung der 27 Stellen in den Schemazeilen macht deutlich[706], daß **V** (21 x *carissimus,* 5 x *dilectus,* 1 x *dilectissimus),* ebenso wie **D** (15, 5, 5),

---

[702] Solange man *dilectus* und *dilectissimus* in jedem Vers zusammen nur als *eine* Alternative wertet; werden sie als zwei Alternativen gerechnet, herrschen deutlich die *dilectio*-Ableger vor.

[703] Bei dieser Berechnung blieb **I Tm 1,2** unberücksichtigt, wo die Andeutung von HES: *dilectissimus* ganz unsicher ist. *Dilectus* wird von **I** (= AMst^txt) belegt.

[704] U.a. 6: unicus carissimus.

[705] 15*: dilectus.

[706] Für die noch nicht edierten Briefe Rm – Gal sind die Zeilen konstruiert worden: **D** aus 75 und LUC; **I** aus dem Text des AMst-Kommentars; **V** ist die Stuttgarter Vulgata-Rezension. **A** wird ebensowenig wie weitere Typen in den bereits edierten Briefen an den einschlägigen Stellen geboten; drei aus AU 64-Wiedergaben rekonstruierte Wiedergaben in den anderen Briefen habe ich, da das Material für eine sinnvolle Aussage nicht ausreicht, nicht in die Bewertung einbezogen.

carissimus bevorzugt; dies ist zwar auch bei **I** (13, 10, 2) der Fall, trotzdem können wir hier eine stärkere Neigung hin zu *dilectus* ausmachen[707]. Das Bild ändert sich auch nicht, wenn wir *dilectus* und *dilectissimus* gemeinsam in die Rechnung nehmen[708]; carissimus wird also in allen Textschichten bevorzugt. Der Befund in Hbr 6,9 schließt sich in diesem Fall nahtlos an den in den Paulusbriefen an: *carissimus* wird von 75; AU Cre 3,86 geboten, während die Wahl von 89 109 61 64 **V**; PRIS tr 5,84; HI Jov 2,3 in diesem Vers auf *dilectissimus* fällt. Dilectus wird von alten Zeugen nicht belegt. Andere Wiedergaben sind entweder unsicher oder aber von griechischen Varianten abhängig[709].

Auch in den Katholischen Briefen ist *carissimus* die allererste Wahl von **V** (19, 2, 2) und **T** (12, 2, 4); 2 Pt 3,17 wird *amantissimus* belegt von **TV**; AU op 22 (63,26); FAC def 12,2,4. Die übrigen Typen sind nur schwach bezeugt: **A**: an fünf Stellen[710]; **CFXR**: je zweimal; **SK**: je einmal.

Am Ende dieses Überblicks fasse ich noch einmal das für unsere Untersuchung wesentliche Ergebnis zusammen: *Dilectio* ist gegenüber *caritas* stets ein sicheres Zeichen für das höhere Alter eines bestimmten Textes; das seltene *amor* darf offensichtlich nicht zu früh datiert werden; ein Befund, der zu der Tatsache paßt, daß das jüngere *caritas* die weitaus häufigste Wiedergabe in 75 ist. Ansonsten läßt sich nicht herauslesen, ob *amor* schwerpunktmäßig oder bevorzugt irgendwo Verwendung findet. *Amor* als Wiedergabe von ἀγάπη läßt sich erst nach *caritas* und erst recht nach *dilectio* nachweisen. Die Derivate von ἀγάπη geben uns — soweit überhaupt ein Abkömmling von *amor* als Wiedergabe existiert — keinen Grund, mit der Möglichkeit zu rechnen, daß eventuelle frühe *amor*-Bezeugungen zum Reibungsverlust der Überlieferungsgeschichte wurden. Kein Schriftsteller zeigt die gleiche Verteilung der „Vorlieben" wie 75.

---

[707] **Rm 1,7 DI** in caritate; **Phil 4,12 DI** Auslassung.

[708] **D + I + V**: 49 Mal *carissimus;* 20 Mal *dilectus;* 8 Mal *dilectissimus.*

[709] **2 Tm 1,2** bezeugt RUS:CO 1,3 (23,17) und davon abhängig auch CO 1,2 (41,14) = CO 4,1 (151,4) eventuell amatus; dabei ist aber einerseits die Frage nicht zu klären, ob auch diese Bibelstelle gemeint ist, andererseits ist es möglicherweise eine Übersetzung von φιλουμενω.

[710] Alle mit *dilectissimus.*

b) Ὅσιος

sanctus	1 Tm 2,8; Tt 1,8
iustus	**Hbr 7,26**

In diesem Fall ist noch weniger als bei ἀγάπη ein systematischer Durchgang angestrebt; eine bestimmte Beobachtung wird nicht unbedingt konsequent weitergeführt, ebensowenig eine bestimmte Fragestellung. Vor allem die oben genannten Wiedergaben in 75 stehen im Mittelpunkt der Betrachtung.

Das Wortfeld ἀγάπη war in seinen Wiedergabemöglichkeiten recht homogen, vergleicht man es etwa mit dem seltener verwendeten ὅσιος und seinen Ablegern.

Schon ein Blick in die Konkordanz zeigt: das AT stellt uns weitaus mehr Stellen zur Verfügung als das NT; Schwerpunkte sind dabei die Bücher Ps, Prv und Sap.

In den Psalterien einschließlich dem iuxta Hebraeos ist *sanctus* die fast durchgängige Wiedergabe; *iustus* treffen wir lediglich im Psalterium iuxta Hebraeos zu Ps 149,1 und im Gallicanum zu Ps 15,10 an. In den altlateinischen Psalterien ist dies an drei Stellen (Ps 17,26 [711]; 49,5; 96,10) der Fall. Die Zeugendecke ist also sehr dünn.

TE Marc 4,39; 5,18 und CY ep 6,2; 10,2; 76,4; AM mort 8,33; AU Ps 39,16,29; 40,1,54; s Den 24,9 bezeugen zu Ps 115,15 *iustus* gegen sonstiges *sanctus*[712]. Generell gilt, daß die Lateiner durchgängig *sanctus* verwenden, das gelegentliche *iustus* dagegen in Afrika bevorzugt ist, und durch das dem Griechischen besser entsprechende *sanctus* verdrängt wird[713].

Unter den alten Zeugen des Proverbienbuches finden wir nur wenige Belege, deshalb sind die wenigen Zitate von LUC umso wichtiger zu nehmen: 18,5 hat LUC Ath 1,26 *sanctus* ebenso wie 21,15 LUC Ath 1,28. *Iustus* wird nur von **V**-Zeugen belegt[714]; *sanctus* finden wir Prv 2,11 in der Handschrift 94 und auch bei AU[715], ansonsten nur noch bei späteren Zeugen[716].

[711] Zweimal im Mailänder Psalter.

[712] Vgl. Capelle Pss 7, 8; TE Marc 2,19; 4,21; CY te 3,16 bezeugen hier aber auch *sanctus* ebenso wie AM AU: vgl. Capelle Pss 17 f; vgl. Capelle Pss 31; TE sco 8 bezeugt hier *religiosus*. Auch Ps 17,26 bezeugt TE *sanctus* und *iustus*.

[713] Capelle Cas 120; vgl. 122.

[714] U.a. PEL; BED.

[715] Ps 36 s 3,5,22; Ps 118 s 24,6,10; Jul im 1,79.

[716] PEL; GR-I; CHRO; PS-AU spe; PS-AM man; BEA.

In Sap läßt sich feststellen, daß *iustus* von der Vulgata etwas häufiger gewählt wird (6,10 [717]; 10,15. 17; 18, 5. 9); in diesen Fällen ist *sanctus* selten, und dann auch nur schwach bezeugt[718]. Wenn umgekehrt *sanctus* von der Vulgata belegt wird (4,15 [719]; 7,27; 18,1)[720], finden wir *iustus* überhaupt nicht bezeugt. Frühe Zeugen sind zur Weisheit nicht erhalten. *Sanctus* ist selten im Vergleich zum Afrikanismus *iustus*[721]. Gegenüber dem alten *iustus* setzt sich *sanctus* also mit unterschiedlichem Erfolg durch. Nähere Aussagen sind nicht zu machen.

Betrachtet man den Rest des AT im Gesamten, so wird *sanctus* weitaus häufiger gewählt, darüberhinaus hat es Zeugen auf seiner Seite, die vor der Vulgata-Rezension liegen; ganz alte Zeugen sind überhaupt nicht vorhanden. Ich nenne einige Beispiele für *sanctus;* andere Analoga sind in den Apparat verwiesen:

> **Dt 33,8 V**; 100; AM ep 51,11; Sat 2,73 [722]; off 1,256; ptr 15 (132,19); exh 7,44.
> **2 Rg 22,26 V**; AM Abr 1,84
> **Is 55,3** TE Marc 4,1[723]; NO tri 9,7; FIL I 29,2; HI Is 15,55,3
> **Am 5,10** [724] TE pud 8,5; HI Tt (583C); Am 2,5,10; Za 2,8,16. 7[725].
> **1 Mcc 7,17** und **2 Mcc 12,45** alle Texttypen[726]

Im NT finden wir *iustus* nur Hbr 7,26 und Apc 15,4 (hier allerdings nur im Brev. Goth. und M-Go 210 (57,8)), während *sanctus* in Act und Tt 1,8 stets die ausschließliche Wahl ist. Anders liegen die Verhältnisse in 1 Tm 2,8 (*purus* u.a. 77 78 64 61 86 (**XKVJ**); TE or 13; HIL Ps 140,3; AM; gegen *sanctus* 75 89 (**DI**); AMst 1 Tm 2,8; HI [727]) und Apc 15,4 (*pius* **V** 55 330; CY te 3,20; AMst Rm 6,1; u.a[728].). Apc 16,5 bietet nur *sanctus* außer PRIM

---

[717] In **V**: Vers 11.

[718] **Sap 6,10**: Gl exc 63 (61,12) (Dublette zu *iustus);* PS-CY sng 17 (192,13) com ‹G: dieses Zitat ist nicht sicher Bibeltext; **T; Sap 10,17**: RES-R 6607; 7586; 7590: auch hier ist es nicht sicher, ob wir Bibeltext vor uns haben.

[719] Hier auch von **D**: die Stellung im Vers ist nicht klar: möglich ist ein Tausch mit εκλεκτος‹ electus.

[720] **Sap 3,9** ist der Texttyp **S** (konstruiert nach der Handschrift X) Zeuge für *sanctus.*

[721] Vgl. dazu Schildenberger a.a.O. 107 und DeBruyne Sap 126; Thiele Sap 161.

[722] Vgl. Billen a.a.O. 203: Im Heptateuch ist *iustus* das ältere „rendering“; es wird hier von HI Mal 2,5/8.9 belegt.

[723] TE Marc 3,20 hat an dieser Stelle *religiosus;* **V** läßt sie aus.

[724] *Iustus* wird hier von Gl exc 53 (57,9) geboten; **V** hat *perfectus.*

[725] *Aequissimus:* PS-AU spe 32 (452,8).

[726] Nach DeBruyne Mcc.

[727] *Mundus, immaculatus, innocuus* wurden nicht bewertet.

[728] Gegen *sanctus* 51 55 330; AM Sat 2,132.

4 (228): pius. Hbr 7,26 wählt 75 mit AM fu 16 (176,20) (in einer Dublette mit *sanctus*); AU[729] *iustus* gegen die Bezeugung von *sanctus* durch die Vulgata 89 109 61 μ ^{BA} ρ ^{SP} (foll. 7R; 170R); AM fu 16 [730] und die etwas unsicheren AU-Zitate: pec 2,25 (*sanctus sanctorum*); tri 4,19 (in einer Dublette mit *iustus*)[731]. Alte Texte bieten also nebeneinander *sanctus* und *iustus*, das in jüngeren Texten fast vollständig *sanctus* weichen muß.

Die Adverbialform ὁσίως bestätigt Sap 6,10 und 1 Th 2,10 lediglich die obigen Beobachtungen. Ich kann hier auf eine Darstellung verzichten, da beide Stellen ediert sind und zu unserer Fragestellung nichts neues beitragen.

Ὁσιότης wird schwerpunktmäßig im Buch der Weisheit verwendet[732]. dabei treffen wir durchgängig auf *aequitas* und *iustitia* als Wiedergabe[733]; Ausnahmen davon sind selten: zum Beispiel werden Sap 5,19 religio MART I. 3 (146B) und 9,3 *sanctitas* EP-SC enc 7 (16,6) (nur eine Übersetzung) nur schwach und unsicher bezeugt, wir können also keinen klaren Bezug zu *sanctus* herstellen. LUC bezeugt an den beiden Stellen, auf die er einschlägig Bezug nimmt, *iustitia* (Sap 2,22: Ath 1,31; Sap 9,3: Ath 1,33). Allerdings ist hier vergleichbar mit dem Buch Sapientia eine Vertauschung mit einem benachbarten δικαιοσύνη – *aequitas* möglich.

Demgegenüber finden wir *sanctitas* in den Versen Dt 9,5 bei 104 und PS-AU gr 8,9 [734]; in 1 Rg 14,41 bei 91 [735], sowie 3 Rg 9,4 bei CLE-R 60 und AM Dav 1,3 [736].

Das NT bietet nur an zwei Stellen ὁσιότης: Lc 1,75 hat *sanctitas* mit 4 5 6 8 10 11 13 14 15 26 27 30 56 400 401 402 410 411 (mit HI AU IR) den Hauptanteil der Altlateiner auf seiner Seite, während *castitas* von 3 (mit CLE-R 48) und *veritas* von 2 geboten wird. Eph 4,24 sehen wir *sanctitas* in fast allen alten Zeugen (**KDIV**): TE res 49,7; CY te 3,11; LUC Ath 2,31^{txt}; HIL tri 12,48^{txt}; MAR Eph 4,24 (140,17); AM sp 2,65. CLE-R 48

---

[729] 64 hat an dieser Stelle eine Lücke.

[730] Eben die Dublette.

[731] Daneben finden wir noch *mundus, purus, perfectus, innocens, pius*.

[732] **Prv 14,32** wird im Lateinischen gar nicht bezeugt.

[733] Vgl. Thiele Sap 161: *aequitas* wird verwendet, wenn δικαιοσυνη – *iustitia* unmittelbar im Kontext steht: Sap 5,19; 9,3.

[734] HI Pel 1,36 bietet *directio* (als Variante dazu auch *dilectio*); demgegenüber begegnet auch *aequitas* u.a. bei **V** und AM Ca 1,28.

[735] Auch in der davon abhängigen Handschrift 93.

[736] **V** hat hier *aequitas*, unter anderem mit AM Ca 1,28.

spielt möglicherweise auf *castitas* an; TE res 45,1 bietet *religio* (**X**); weniger sicher sind die Anspielungen auf *sanctificatio* bei HIL tri 12,48com und auf *aequitas* bei PS-AU s erem 68 (1355). *Iustitia* ist beidemale überhaupt nicht bezeugt.

Werfen wir noch einen kurzen Blick auf ὁσιοῦν, das nur im AT an drei Stellen vorkommt und dabei 2 Rg 22,26 (mit **V**; AM Abr 1,84) und Ps 17,26 in allen drei Psalterien (Gallicanum, iuxta Hebraeos, Romanum) durchgängig *sanctum esse* bietet; *iustum esse* finden wir nur Ps 17,26 im Mailänder Psalter[737]. Sap 6,10 schließlich bezeugt *iustificare* **V**; PS-CY sng 17 (192,16); CAr cpl Eph 4,24 (619C); GI exc 63 (61,11) (in einer Dublette mit *sanctificare)* und *iudicare* (in einigen Handschriften der Vulgata)[738].

Ἀνόσιος gibt[739] mit seinen Übersetzungen: *scelus, incestus, scelestus, sceleratus, impius, nefarius, execrabilis, impurus, incompositus;* sowie die weit weniger gesicherten: *maleficus, parricidalis, immundus, criminosus, malus, facinerosus, idola colens, blasphemus* keine Hilfe für unsere Überlegungen auf den Wechsel von *iustus* und *sanctus* hin, außer an einer Belegstelle: Sap 12,4 bezeugen die Textformen **VD**[740]: *iniustus.*

Betrachten wir zur Illustration exemplarisch die beiden einzigen NT-Stellen 1 Tm 1,9 und 2 Tm 3,2 in Bezug auf ihre Wiedergabe in alten Zeugen: 1 Tm 1,9: *scelestus* 75 (caelestis) 89; LUC Ath 2,34; AMst 1 Tm 1,9 (≙ **DI**); *sceleratus* 77 78 61 86; LUC Ath 2,13 (≙ **V**); die übrigen Varianten sind nur unsicher. CY un 16 bezeugt mit AMst und AU in 2 Tm 3,2 *impius* (≙ **K**). 75 77 78 89 61 86; LUC mor 10 (287,57); OPT Par 7,4; HI Mi 2,7,5/7 (509,182); So (692,602); AU belegen *scelestus* (≙ **D**), das von **V** übernommen wird; AMst 2 Tm 3,2 belegt *impius* (≙ **I**).

Es gilt die gleiche Schlußfolgerung wie für *amor:* eine Altersrelativierung ist nicht zu leisten, mit großer Wahrscheinlichkeit aber ist *iustus* kein Zeichen dafür, daß Hbr im Claromontanus einen alten Text rettet; auch die Derivate

---

[737] Vgl. oben οσιος. Mailänder Psalter = 400; mit TE Marc 5,18; *sanctificari?* TE Cas 10 (104,24).

[738] Bern, Burgerbibliothek A.9: *confiteri.*

[739] Unter Berücksichtigung seiner Adverbialform ανοσιως.

[740] Mit LUC reg 10 (157,43).

legen dies nicht nahe. Es läßt sich kein Zeuge benennen, der dieselben „Vorlieben" zeigt wie 75.

c) Τύπος

forma	Rm 5,14; 6,17; Phil 3,17; 2 Th 3,9; Tt 2,7
figura	I Cor 10,6; I Th 1,7; I Tm 4,12
exemplar	**Hbr 8,5**

Wiederum werden nur die drei in der Tabelle verzeichneten Wiedergaben ins Zentrum der Betrachtung gestellt.

Generell gilt für τύπος: *forma* ist etwas häufiger anzutreffen als *figura; exemplum,* bzw. *exemplar* wird vergleichsweise selten verwendet: Im AT finden wir es gerade an einer von zwei möglichen Stellen; Ex 25,40 bezeugt die Vulgata u.a. zusammen mit HIL Ps 118 gimel 7; PS-PHo 11,15 *exemplar,* während *exemplum* von 102; HIL Ps 118 vau 7 belegt wird; die andere Stelle ist Am 5,26. Sie bietet nichts von Interesse für uns.

Im NT begegnet *exemplum* häufiger (die Zeugenreihen stellen nur eine Auswahl dar)[741]:

Phil 3,17 I; MAR Phil (mehrmals zu dieser Stelle: 366,6. 10. 12. 14. 16)
I Th 1,7 I; 86; AMst I Th 1,7txt
2 Th 3,9 TE id 5,2 [742]; AMst 2 Th 3,9com 1/2
I Tm 4,12 V; 78 61 86; PS-CY al 4 (96,4); AMst I Tm 4,12com
Tt 2,7 IV; 78; HIL tri 8,1; AMst Tt 2,7 (329,2)txt; Tt 2,5 (328,24); q 119; AM off 2,86; AU
Hbr 8,5 89 109 Θ S*. AM Ps 1,31,2; 47,2,1; 118 Ps 3,25,2; 6,29; HI ep 124,12,2; An dieser Stelle wird von **V**; 75 61 auch *exemplar* bezeugt.

In der Überlieferung werden zahlreiche Wiedergabemöglichkeiten angeboten; außer den oben angeführten treffen wir noch auf folgende, die ich unter dem Gesichtspunkt aufgeführt habe: welche Wahl treffen die ältesten erhaltenen Zeugen (hier: TE CY NO LUC HIL AM AMst IR)?

TE hat wahrscheinlich nur *forma*, es ist dabei aber nicht sicher, ob er damit auch die gefragten Verse (2 Th 3,9; I Tm 4,12; Tt 2,7) überhaupt meint. *Forma* ist auch die erste Wahl von AMst neben *figura*. CY ep 69,15 und NO

---

[741] **I Cor 10,6** wird auf der Basis eines ganz unsicheren TE Marc 5,7 nicht mitgezählt.
[742] Dieses Zitat ist nicht sicher auf diese Stelle zu beziehen. *Exemplum* ist hier also auf jeden Fall nicht sicher.

tri 9 verwenden 1 Cor 10,6 figura; LUC Ath 2,28 in Phil 3,17 *forma.* HIL, AM und IR lassen sich ebenfalls auf keinen Schwerpunkt festlegen.

Die altlateinischen Handschriften im NT wählen mit weitem Abstand vor *vestigium, effigies* und *exemplum* die etwa gleich häufig gewählten *forma* und *figura.*

Wir können also zusammenfassen: Die Vulgata bevorzugt ganz deutlich *forma* (siebenmal; dreimal *figura;* zweimal *exemplum).* Zwischen den drei Wiedergaben in 75 ist keine Altersrelativierung möglich.

Die Ableitungen von τύπος behandle ich nur kursorisch: für das 1 Cor 10,11 bezeugte τυπικῶς scheint *in figura* zugleich die häufigste wie auch die älteste Wahl zu sein: neben der Vulgata finden wir auch 65 75 77 78; AMst 1 Cor 10,11; IR 4,14,3; 4,27,3; AM vg 1,12; vgt 2; Dav 1,11; sa 1,20; AU; HI (an den meisten Stellen)[743]. *In exemplo* begegnet nur ganz vage angedeutet bei A-SS Helia, *in forma* nie.

Τυποῦν hat in *figurare* (Sap 13,13) und *formare* (Sir 38,33) jeweils exklusive Übersetzungsmöglichkeiten, allerdings läßt sich aufgrund der dünnen Zeugendecke kein Rückschluß auf τύπος ableiten.

Im Falle von ἀντίτυπος sind ebenfalls nur zwei Stellen zu betrachten: Hbr 9,24 (ἀντίτυπα) bezeugen **V**; 75 89 61; AM 118 Ps 18,37,2 *exemplar*[744], während HES 1 (822B) *forma* belegt[745]. *Figura* ist nur unsicher im gerade schon genannten Ambrosius-Zitat an einer von drei Stellen des Kommentars und dann erst wieder bei AU geboten.

An der zweiten Stelle 1 Pt 3,21 (ἀντίτυπον) bedienen sich CY ep 69,2; 74,11; [CY] ep 75,15 der Wiedergabe *similiter* (≙ **K**), und im selben Vers haben **CTV** *simili forma*[746]. Die anderen Wiedergaben sind unsicher.

Ὑποτύπωσις finden wir an zwei Stellen des NT, im AT überhaupt nicht: 1 Tm 1,16 steht den Vulgata-Äquivalenten *deformatio* (**V**) und *informatio* (in sehr vielen der für die Vetus Latina-Ausgabe herangezogenen Vulgata-Handschriften) vor allem *exemplum* gegenüber, das von **DI**; 75 77 89 61 86 FMH ΓᴮNᵂX, clm 9545ᵗˣᵗ, Verona LXXXII; AMst 1 Tm 1,16 (256,2;

---

[743] Ein weiteres Beispiel unter anderen: HI Ez h 12,2: *figuraliter.*

[744] 75 *exemplarium;* 89 *exemplarii;* **V** 61 *exemplaria.*

[745] AU pec 1,50: *similia;* PS-VIG Var 1,37: *allegoria;* interessant ist auch die Dublette *imago (veri) et similitudo* bei TE Pra 12,4.

[746] Unter anderem 65 251; **V** hat *similis formae.*

257,9); belegt wird. An der zweiten Stelle: 2 Tm 1,13 ist *forma* die Wahl
aller drei Schemazeilen **DIV**. *Exemplum* wird lediglich von 86 und AMst 2
Tm pr; HI Tt (575A) belegt.

Auch für τύπος gilt: die Wiedergabe im Hbr des Claromontanus (exemplum) ist nicht alt, es handelt sich wahrscheinlich um eine junge Übersetzung.
Etwas auffällig ist dabei sicherlich die Bevorzugung im **I**-Typ.

Zwischenergebnis

Insgesamt läßt sich feststellen, daß die Hbr-Überlieferung in denselben
Bahnen verlief wie die der Paulinen[747]. Im Hbr finden wir die gleichen
Traditionslinien wie in den Paulinen, also auch die gleichen Texttypen. Die
teilweise Nicht-Teilhabe am Corpus schließt den Hbr nicht aus der Textgeschichte des Corpus aus; eine Sonderstellung hatte er dabei nur und allenfalls
in frühester Zeit[748].

Alle Texttypen außer **D** treten für eine Verbindung der Paulinen mit dem
Hbr ein, soweit aus dem teilweise schmalen Materialangebot zu entnehmen
ist. Es liegt keine einzige homogene Quelle des **D**-Typs vor, die den Hbr
miteinbezieht:

Die isolierte Gruppe (vertreten vor allem durch LUC und 89) muß den Hbr
ergänzen oder bezeugt ihn doch in einer vom **D**- Text der Paulinen verschiedenen Ausprägung desselben Typs. Die zweisprachigen Handschriften bieten
entweder die linguistisch differente Form (D) oder lassen ihn ganz aus (FG).
Die große Ähnlichkeit der Hbr-Ergänzung in der „kombinierten" und der in der
„isolierten" Form läßt die Vermutung zu, daß eine Ergänzung für beide
Entwicklungslinien verwendet wurde. Dieser Gedanke wäre allerdings noch zu
vertiefen.

Alle drei Beispiele der Wortfelduntersuchung zeigen zudem deutlich: Es ist
keine Handschrift und kein Autor dingfest zu machen, der auch nur annähernd
die Vorlieben von 75 teilen würde. Darüberhinaus gibt uns die Wortfelduntersuchung keinen sicheren Anhaltspunkt auf Herkunft oder Alter des **D**-Textes
im Hbr.

---

[747] Vgl. Frede Hbr 1059; auch schon Fischer NT 190 und Frede Th 143.
[748] Frede 89, 131.

ZUSAMMENFASSUNG DER ERGEBNISSE

Mit dem Abschluß dieser Untersuchung ist es gesichert, daß Clarks Sicht der Dinge im Fall des Claromontanus korrekt war. Der Text des Hbr ist in dieser Handschrift von dem der Paulinen deutlich verschieden. Und die verhältnismäßig große Anzahl von differenten Übersetzungen schließt von vornherein aus, daß ein und derselbe Übersetzer gezielte Abweichungen konstruierte, um so den Hbr sprachlich von den Paulinen verschieden zu gestalten.

Ein Vorfahre des Claromontanus mit dreizehn Paulusbriefen wurde also um den Hbr ergänzt. Dem Schreiber oder Redaktor der Pariser Handschrift war – wie wir abtrennenden Signalen entnehmen – durchaus noch bewußt, daß hier eine nachträgliche Anfügung stattgefunden hatte.

Der Befund bei den anderen Zeugen desselben Texttyps **D** macht es deutlich: Im Gegensatz zu allen anderen Typen war hier der Hbr nicht von Anfang an vorgesehen. Die Schlußfolgerung scheint nicht zu weit hergeholt: Der **D**-Typ wurde – noch vor seiner Aufspaltung in einen bilinguen und einen „isolierten" Zweig ohne griechisches Gegenüber – zu einer Zeit entwickelt oder „kreiert", als der Hbr im Entstehungsgebiet der Textform zumindest nicht notwendig zum Bibelkanon gehörte.

Irgendwann enstand dann die Notwendigkeit, den Hbr zu ergänzen. Interessant ist dabei, daß Lucifer von Calaris dieselben Abweichungen in seinem „isolierten" Bibeltext vorfand. Der Befund des Fragments 82 (München clm 29055a) unterstreicht diese auffällige Parallelität von bilinguem und isoliertem Zweig in Hinsicht auf die Hbr-Ergänzung.

Zwei Deutungsmöglichkeiten bieten sich meines Erachtens an: Entweder wurde ein „Hbr-**D**-Prototyp" zum Vorläufer für zumindest den Vorgänger des Claromontanus und das Exemplar des Lucifer, oder aber die Ergänzung des einen Zweigs wurde mangels geeigneter Alternativen zum Ausgangstext für die Texte den anderen Zweigs. Hier wird der Orient-Aufenthalt des Lucifer bedeutsam. Allerdings müßten die Zusammenhänge in einer gesonderten Untersuchung erarbeitet werden.

Für die Kanongeschichte ist auf jeden Fall festzuhalten: Der **D**-Hbr entstand spätestens in der ersten Hälfte des 4. Jahrhunderts, denn im Jahre 356 gab es bereits eine „isolierte" ergänzte Fassung.

Weitergehende Aussagen zur Beziehung zwischen den beiden „isolierten" **D**-Zeugen Lucifer und 82 sind nicht zu treffen, da kein gemeinsames Textstück überliefert ist (LUC con 10: Hbr 3,5 − 4,13; 82: Hbr 7,8−26 und 10,23−39).

Eines wird deutlich: Alle Schlußfolgerungen, die über die reine Feststellung der linguistischen Verschiedenheit innerhalb der Pariser Handschrift hinausgehen, werden sehr rasch zur Spekulation. Es bleibt also abzuwarten, ob sich neue Textfragmente finden oder neue Wege gefunden werden können, auf denen wir mit dem vorhandenen knappen Material zu weiteren sicheren Ergebnissen gelangen.

LITERATURVERZEICHNIS

Die Angaben in *Kursivschrift* verweisen auf die in der Arbeit verwendeten Abkürzungen.

Textausgaben

a) lateinische:

Biblia Sacra iuxta Latinam Vulgatam Versionem ad Codicum Fidem, Rom 1926 (Gn), 1929 (Ex/Lv), 1936 (Nm/Dt), 1939 (Jos/Jdc/Ru), 1944 (1–2 Rg), 1945 (3–4 Rg), 1948 (1–2 Par), 1950 (Esr/Tb/Jdt), 1951 (Est/Jb), 1953 (Ps), 1957 (Prv/Ecl/Ct), 1964 (Sap/Sir), 1969 (Is), 1972 (Jr/Lam/ Bar), 1978 (Ez), 1981 (Dn), 1987 (Zwölfprophetenbuch).

Biblia Sacra iuxta Vulgatam versionem adiuvantibus B. Fischer, J. Gribomont, H. F. D. Sparks, W. Thiele recensuit et brevi apparatu instruxit **R. Weber** (seit der dritten Auflage ist **H. J. Frede** Mitherausgeber), Stuttgart ³1983.

Belsheim, J., Epistulae Paulinae ante Hieronymum Latine translatae ex codice Sangermanensi graeco-latino olim Parisiensi nunc Petropolitano, Christiania 1885.

De Bruyne, Donatien, Les anciennes traductions latines des Machabées, Anecdota Maredsolana 4, Maredsous 1932. *DeBruyne Mcc*

De Sainte-Marie, Henri, Sancti Hieronymi Psalterium iuxta Hebraeos, Collectanea Biblica Latina 11, Rom 1954.

Fischer, Bonifatius, Genesis, = Vetus Latina. Die Reste der altlateinischen Bibel nach Petrus Sabatier neu gesammelt und herausgegeben von der Erzabtei Beuron 2, Freiburg 1951–1954.

Frede, Hermann Josef, Epistula ad Ephesios, = Vetus Latina. Die Reste der altlateinischen Bibel nach Petrus Sabatier neu gesammelt und herausgegeben von der Erzabtei Beuron 24/1, Freiburg 1962–1964. *Frede Eph*

– –, Epistulae ad Philippenses et ad Colossenses, = Vetus Latina. Die Reste der altlateinischen Bibel nach Petrus Sabatier neu gesammelt und herausgegeben von der Erzabtei Beuron 24/2, Freiburg 1966–1971. *Frede Phil* und *Frede Col*

– –, Epistulae ad Thessalonicenses, Timotheum, Titum, Philemonem, Hebraeos, = Vetus Latina. Die Reste der altlateinischen Bibel nach Petrus Sabatier neu gesammelt und in Verbindung mit der Heidelberger Akademie der Wissenschaften herausgegeben von der Erzabtei Beuron 25. Pars I: Epistulae ad Thessalonicenses, Timotheum, Freiburg 1975–1982, Pars II: Epistulae ad Titum, Philemonem, Hebraeos, Freiburg 1983 ff. *Frede Th* (die für Hbr einschlägigen Nachträge und Ergänzungen in der dritten Lieferung des zweiten Teils fasse ich unter der Abkürzung *Frede Hbr* zusammen)

Gryson, Roger, Esaias, = Vetus Latina. Die Reste der altlateinischen Bibel nach Petrus Sabatier neu gesammelt und in Verbindung mit der Heidelberger Akademie der Wissenschaften herausgegeben von der Erzabtei Beuron 12, Freiburg 1987 ff.

Jülicher, Adolf, Itala. Das Neue Testament in altlateinischer Überlieferung, durchgesehen und zum Druck besorgt von **Walter Matzkow** und **Kurt Aland,** Bd. I: Matthäus-Evangelium, zweite verbesserte Auflage, Berlin/New York 1972.

– –, Itala. Das Neue Testament in altlateinischer Überlieferung, durchgesehen und zum Druck besorgt von **Walter Matzkow** und **Kurt Aland,** Bd. II: Marcus-Evangelium, zweite verbesserte Auflage, Berlin 1970.

– –, Itala. Das Neue Testament in altlateinischer Überlieferung, durchgesehen und zum Druck besorgt von **Walter Matzkow** und **Kurt Aland,** Bd. III: Lucas-Evangelium, zweite verbesserte Auflage, Berlin/New York 1976.

– –, Itala. Das Neue Testament in altlateinischer Überlieferung; durchgesehen und zum Druck besorgt von **Walter Matzkow** und **Kurt Aland,** Bd. IV: Johannes-Evangelium, Berlin 1963

Reichardt, Alexander, Der Codex Boernerianus der Briefe des Apostels Paulus (Dresd. A.145ᵇ), Lichtdruckausgabe herausgegeben von der Königlichen Öffentlichen Bibliothek zu Dresden, Leipzig 1909, (in dieser Ausgabe nur das Corpus Paulinum aus der umfangreicheren Handschrift enthalten).

Sabatier, Pierre, Bibliorum Sacrorum Latinae Versiones Antiquae seu Vetus Italica et Caeterae quaecumque in Codicibus mss. et antiquorum libris reperiri potuerunt, Tomus Tertius, Pars Secunda, Paris 1751.

Schultze, Victor, Codex Waldeccensis (Dᵂ ᴾᵃᵘˡ), München 1904.

Scrivener, Frederick Henry, An exact transcript of the Codex Augiensis, a graeco-latin manuscript of S. Paul's epistles, deposited in the library of Trinity College, Cambridge ... with a critical introduction, Cambridge/London 1859.

Thiele, Walter, Epistulae Catholicae, = Vetus Latina. Die Reste der altlateinischen Bibel nach Petrus Sabatier neu gesammelt und herausgegeben von der Erzabtei Beuron 26/1, Freiburg 1956–1969. *Thiele Cath*

– –, Sapientia Salomonis, = Vetus Latina. Die Reste der altlateinischen Bibel nach Petrus Sabatier neu gesammelt und in Verbindung mit der Heidelberger Akademie der Wissenschaften herausgegeben von der Erzabtei Beuron 11/1, Freiburg 1977–1985. *Thiele Sap*

– –, Sirach (Ecclesiasticus), = Vetus Latina. Die Reste der altlateinischen Bibel nach Petrus Sabatier neu gesammelt und in Verbindung mit der Heidelberger Akademie der Wissenschaften herausgegeben von der Erzabtei Beuron 11/2, Freiburg 1987 ff. *Thiele Sir*

Tischendorf, Constantin, Codex Claromontanus sive epistulae Pauli omnes graece et latine, Leipzig 1852. *Tischendorf Codex*

Weber, Robert, Le Psautier Romain et les autres anciens psautiers latins, Collectanea Biblica Latina 10, Rom 1953.

Wettstein, Jacobus, Novum Testamentum Graecum, Tomus II, Graz 1962, = unveränderter Nachdruck der 1752 bei Dommerian in Amsterdam erschienenen Ausgabe (ʽH KAINH ΔΙΑΘΉKH Novum Testamentum Graecum).

Wordsworth, John, White, Henry Julian, Novum Testamentum Iesu Christi Latine secundum Editionem Sancti Hieronymi, Pars Secunda (Paulus, sieben Faszikel); ab Faszikel fünf (Phil noch mit **White,** Col − 1 Tm dann nur noch allein:) **Hedley Frederic Sparks,** ab Faszikel sechs Mitarbeiter **Claude Jenkins,** Oxford 1913, 1922, 1926, 1934, 1937, 1939, 1941 (Hbr). Gesamtausgabe: 1889−1954.

b) griechische:

Kurt Aland, Matthew Black, Carlo M. Martini, Bruce M. Metzger, Allen Wikgren, Novum Testamentum Graece post **Eberhard Nestle** communiter ediderunt . . ., Stuttgart ²⁶1981 (4. Druck). *NA²⁶*

Soden, Hermann von, Die Schriften des Neuen Testaments, 2. Teil: Text mit Apparat, Göttingen 1913.

Tischendorf, Constantin, Novum Testamentum Graece, Leipzig ⁸1872. *Tischendorf Octava*

Die **Verszählung** erfolgt im NT durchgängig nach der 26. Auflage des „Nestle"; das AT wird nach der Stuttgarter Vulgata gezählt. Notwendige Abweichungen von dieser Regel werden ausdrücklich vermerkt.

Hilfsmittel

Computer-Kondordanz zum Novum Testamentum Graece von Nestle-Aland, 26. Auflage und zum Greek New Testament, 3ʳᵈ Edition, herausgegeben vom **Institut für Neutestamentliche Textforschung** und vom **Rechenzentrum der Universität Münster** unter besonderer Mitwirkung von **H. Bachmann** und **W. A. Slaby,** Berlin/New York ²1985.

Aland, Kurt, Kurzgefaßte Liste der griechischen Handschriften des Neuen Testaments, I. Gesamtübersicht, = Arbeiten zur neutestamentlichen Textforschung 1, Berlin 1963

− −, Vollständige Konkordanz zum Griechischen Neuen Testament, Band 2: Spezialübersichten, Berlin/New York 1978.

− −, Vollständige Konkordanz zum Griechischen Neuen Testament, Band 1: Konkordanz, Berlin/New York 1983.

Blass, F., Debrunner, A., Grammatik des neutestamentlichen Griechisch, bearbeitet von **Friedrich Rehkopf,** Göttingen ¹⁵1979.

Fischer, Bonifatius, Verzeichnis der Sigel für Handschriften und Kirchenschriftsteller, = Vetus Latina. Die Reste der altlateinischen Bibel nach Petrus Sabatier neu gesammelt und herausgegeben von der Erzabtei Beuron 1, Freiburg 1949.

Frede, Hermann Josef, Kirchenschriftsteller. Verzeichnis und Sigel (3., neubearbeitete und erweiterte Auflage des „Verzeichnis der Sigel für Kirchenschriftsteller" von Bonifatius Fischer), = Vetus Latina. Die Reste der altlateinischen Bibel nach Petrus Sabatier neu gesammelt und herausgegeben von der Erzabtei Beuron 1/1, Freiburg 1981. *Frede 1/1*

− −, Kirchenschriftsteller. Aktualisierungsheft 1984, = Vetus Latina. Die Reste der altlateinischen Bibel nach Petrus Sabatier neu gesammelt und herausgegeben von der Erzabtei Beuron 1/1 A, Freiburg 1984.

− −, Kirchenschriftsteller. Aktualisierungsheft 1988, = Vetus Latina. Die Reste der altlateinischen Bibel nach Petrus Sabatier neu gesammelt und herausgegeben von der Erzabtei Beuron 1/1 B, Freiburg 1988.

Sekundärliteratur

Aland, Kurt, Das Problem des Neutestamentlichen Kanons, in: Neue Zeitschrift für Systematische Theologie 4 (1962) 220−242. *Aland Kanon*

− −, Methodische Bemerkungen zum Corpus Paulinum bei den Kirchenvätern des zweiten Jahrhunderts, in: **Adolf-Martin Ritter** (Hrsg.), Kerygma und Logos. Beiträge zu den geistesgeschichtlichen Beziehungen zwischen Antike und Christentum (Festschrift Carl Andresen), Göttingen 1979; 29−48.

− −, Die Entstehung des Corpus Paulinum, in: **ders.,** Neutestamentliche Entwürfe, München 1979; 302−350.

− −, **Aland, Barbara,** Der Text des Neuen Testaments, Stuttgart 1982. *Aland Text*

Anderson, Charles P., The Epistle to the Hebrews and the Pauline Letter Collection, in: Harvard Theological Review 59 (1966) 429−438.

Ayuso Marazuela, Teófilo, La Vetus Latina Hispana, I, Prolegómenos, introducción general, estudio y análisis de las fuentes, Madrid 1953.

Billen, A.V., The Old Latin Texts of the Heptateuch, Cambridge 1927.

Bischoff, Bernhard, Neue Materialien zum Bestand und zur Geschichte der altlateinischen Bibelübersetzungen, in: Miscellanea Giovanni Mercati, = Studi e Testi 121, Vatikan 1946; 407−436. *Bischoff 82*

− −, Paläographie des römischen Altertums und des abendländischen Mittelalters, = Grundlagen der Germanistik 24, Berlin 1979. *Bischoff Paläographie*

− −, Anecdota Novissima, = Quellen und Untersuchungen zur lateinischen Philologie des Mittelalters 7, 24−34.

− −, Die südostdeutschen Schreibschulen und Bibliotheken in der Karolingerzeit, Teil 2: Die vorwiegend österreichischen Diözesen, Wiesbaden 1980.

Borger, Rykle, NA[26] und die neutestamentliche Textkritik, in: Theologische Rundschau 52 (1987) 1−58.

Bover, Joseph M., Textus Codicis Claromontani *D* in Epistula ad Galatas, in: Biblica 12 (1931) 199−218.

Braun, Herbert, An die Hebräer, = Handbuch zum Neuen Testament 14, Tübingen 1984.

Bruce, F. F., „To the Hebrews" or „To the Essenes"? in: New Testament Studies 9 (1962/63) 217–232.

Burkitt, F.C., The Old Latin and the Itala, in: Texts and Studies 4, Nr. 3, Cambridge 1896. *Burkitt Old Latin*

— —, Itala Problems, in: Miscellanea Amelli, Montecassino 1920, 25–41. *Burkitt Itala*

Capelle, Bernard (Paul), Le Texte du Psautier Latin en Afrique, Collectanea Biblica Latina 4, Rom 1913. *Capelle Pss*

— —, L'Élément Africain dans le Psalterium Casinense, Revue Bénédictine 32 (1920) 113–131. *Capelle Cas*

Cavallo, Guglielmo, Ricerche sulla maiuscola biblica, Studi e testi di papirologia 2, Florenz 1967.

Clark, Albert C., The Acts of the Apostles, Oxford 1933.

Corssen, Peter, Epistulam ad Galatas ad fidem optimorum codicum Vulgatae recognovit, prolegomenis instruxit, Vulgatam cum antiquioribus versionibus comparavit..., Berlin 1885.

— —, Epistularum Paulinarum codices graece et latine scripti Augiensis Boernerianus Claromontanus, Specimen primum, Programm des Gymnasiums Jever, Kiel 1887. *Corssen 1*

— —, Epistularum Paulinarum codices graece et latine scripti Augiensis Boernerianus Claromontanus, Specimen alterum, Programm des Gymnasiums Jever, Kiel 1889. *Corssen 2*

— —, Bericht über die lateinischen Bibelübersetzungen, Leipzig o.J. (= 1899). *Corssen Bericht*

— —, Zur Überlieferungsgeschichte des Römerbriefes, in: Zeitschrift für die neutestamentliche Wissenschaft 10 (1909) 1–45, 97–102. *Corssen Rm*

Dahl, Nils Alstrup, 0230 (PSI 1306) and the fourth-century Greek-Latin edition of the letters of Paul, in: Text and Interpretation: Studies in the New Testament presented to Matthew Black (hrsg. von **E. Best, R. McL. Wilson**), Cambridge 1979; 79–98.

De Bruyne, Donatien, Quelques documents nouveaux pour l'histoire du texte africain des Évangiles, Revue Bénédictine 27 (1910) 273–324, 433–446. *DeBruyne Ev*

— —, Étude sur les origines de notre texte latin de Saint Paul, Revue Biblique N.S. 12 (1915) 358–392.

— —, Étude sur le texte latin de la Sagesse, Revue Bénédictine 41 (1929) 101–133. *DeBruyne Sap*

— —, Saint Augustin reviseur de la Bible, Miscellanea Agostiniana II (Studi Agostiniani), Rom 1931, 521–606. *DeBruyne reviseur*

Diehl, Ernst, Zur Textgeschichte des lateinischen Paulus, 1. Teil: Die direkte Überlieferung, in: Zeitschrift für die neutestamentliche Wissenschaft 20 (1921) 97–132. (Ein zweiter Teil ist nicht erschienen)

Feld, Helmut, Der Hebräerbrief, = Erträge der Forschung 228, Darmstadt 1985.

Finegan, Jack, The Original Form of the Pauline Collection, in: Harvard Theological Review 49 (1956) 85–103.

Fischer, Bonifatius, Der Vulgatatext des Neuen Testaments, in: Zeitschrift für die neutestamentliche Wissenschaft 46 (1955) 178–196, wiederabgedruckt in: **Bonifatius Fischer,**

Beiträge zur Geschichte der lateinischen Bibeltexte, = Vetus Latina. Aus der Geschichte der lateinischen Bibel 12, Freiburg 1986; 51–73. *Fischer Vulgata*

– –, Codex Amiatinus und Cassiodor, in: Biblische Zeitschrift N.F. 6 (1962) 57–79, wiederabgedruckt in: **Bonifatius Fischer**, Lateinische Bibelhandschriften im frühen Mittelalter, = Vetus Latina. Aus der Geschichte der lateinischen Bibel 11, Freiburg 1985, 9–34.

– –, Rezension von **Zimmermann, Heinrich,** Untersuchungen zur Geschichte der altlateinischen Überlieferung des Zweiten Korintherbriefes, Bonner Biblische Beiträge 16, Bonn 1960, in: Theologische Revue 57 (1961) 162–165. *Fischer Rezension*

– –, Karl der Große, Lebenswerk und Nachleben, hrsg. von **Wolfgang Braunfels**, Band 2: Das geistige Leben, hrsg. von **Bernhard Bischoff**, Düsseldorf 1965; 156–216, wiederabgedruckt in: **Bonifatius Fischer**, Lateinische Bibelhandschriften im frühen Mittelalter, = Vetus Latina. Aus der Geschichte der lateinischen Bibel 11, Freiburg 1985, 101–202. *Fischer Karl*

– –, Das Neue Testament in lateinischer Sprache, in: Die alten Übersetzungen des Neuen Testaments, die Kirchenväterzitate und Lektionare, hrsg. von **Kurt Aland**, Berlin/New York 1972, = Arbeiten zur neutestamentlichen Textforschung 5, 1–92, wiederabgedruckt in: **Bonifatius Fischer**, Beiträge zur Geschichte der lateinischen Bibeltexte, = Vetus Latina. Aus der Geschichte der lateinischen Bibel 12, Freiburg 1986, 156–274. *Fischer NT*

Frede, Hermann Josef, Untersuchungen zur Geschichte der lateinischen Übersetzung des Epheserbriefes, Bonn 1958 (ungedruckte Diss.)

– –, Altlateinische Paulus-Handschriften, Vetus Latina. Aus der Geschichte der lateinischen Bibel 4, Freiburg 1964. *Frede Pls*

– –, Ein neuer Paulustext und Kommentar, Band 1: Untersuchungen, Band 2: Die Texte, = Vetus Latina. Aus der Geschichte der lateinischen Bibel 7–8, Freiburg 1973–74. *Frede 89*

– –, Der Text des Hebräerbriefs bei Liudprand von Cremona, in: Revue Bénédictine 96 (1986) 94–99. *Frede Liud*

– –, Lateinische Texte und Texttypen im Hebräerbrief, in: Recherches sur l'histoire de la bible latine. Colloque organisé à Louvain-la-Neuve pour la promotion de H. J. Frede au doctorat honoris causa en théologie le 18 avril 1986, sous la direction de **R. Gryson** et **P.-M. Bogaert,** = Cahiers de la Revue Théologique de Louvain 19, Louvain-la-Neuve 1987, 137–153. *Frede Text*

Gregory, Caspar René, Prolegomena zu **Constantin Tischendorf,** Novum Testamentum Graece, Bd. III, Teil 1, Leipzig 8 1884 (8. Auflage in der Tischendorfschen Ausgabe). *Gregory Prolegomena*

– –, Textkritik des Neuen Testamentes, Leipzig 1909; besonders 105–109, 611. *Gregory Textkritik*

Harnack, Adolf von, Das Neue Testament um das Jahr 200, Freiburg 1889.

– –, Die Entstehung des Neuen Testaments und die wichtigsten Folgen der neuen Schöpfung, = Beiträge zur Einleitung in das Neue Testament 6, Leipzig 1914.

– –, Studien zur Vulgata des Hebräerbriefs, in: Sitzungsberichte der Preußischen Akademie der Wissenschaften 1920, 179–201, wiederabgedruckt in: Studien zur Geschichte des Neuen Testaments und der Alten Kirche 1: zur neutestamentlichen Textkritik, = Arbeiten zur Kirchengeschichte 19, Berlin/Leipzig 1931, 191–234 (217–234: griechische Retroversion des Vulgatatextes nach Wordsworth-White, die im Sitzungsbericht angekündigt wurde), hiernach zitiert als *Harnack Hbr*

Hartel, W., Lucifer von Cagliari und sein Latein, in: Archiv für Lateinische Lexikographie und Grammatik 3 (1886) 1–58.

Heigl, Bartholomäus, Verfasser und Adresse des Briefes an die Hebräer, Freiburg 1905.

Hennecke, Edgar, Neutestamentliche Apokryphen, dritte, völlig neubearbeitete Auflage herausgegeben von **Wilhelm Schneemelcher,** Band 2: Apostolisches, Apokalypsen und Verwandtes, Tübingen 1964.

Hug, Johannes Leonhard, Einleitung in die Schriften des Neuen Testaments, 2 Teile, Stuttgart/Tübingen ⁴1847.

Jülicher, Adolf, Kritische Analyse der lateinischen Übersetzungen der Apostelgeschichte, in: Zeitschrift für die neutestamentliche Wissenschaft 15 (1914) 163–188. *Jülicher Apg*

Katz, Peter, Ἐν πυρὶ φλογός, in: Zeitschrift für die neutestamentliche Wissenschaft 46 (1955) 133–138.

Kilpatrick, G. D., Western Text and Original Text in the Epistles, in: Journal of Theological Studies 45 (1944) 60–65.

La Bonnardière, Anne-Marie, L'épître aux Hébreux dans l'oeuvre de saint Augustin, in: Revue des études augustiniennes 3 (1957) 137–162.

Lagrange, M. J., Critique Textuelle, II.: La Critique Rationelle, (Deuxième Partie de l'introduction à l'étude du Nouveau Testament, in: Études Bibliques), Paris 1935.

LeLong, Jakob, Bibliotheca Sacra, Pars Prima, Paris 1709.

Lowe, E. A., The Codex Bezae, in: Journal of Theological Studies 14 (1913) 385–388. *Lowe Bezae*

– –, Some Facts about Our Oldest Manuscripts, in: Classical Quarterly 19 (1925) 197–208. *Lowe Some facts*

– –, More Facts about Our Oldest Manuscripts, in: Classical Quarterly 22 (1928) 43–62. *Lowe More facts*

– –, Codices Latini Antiquiores. A palaeographical Guide to latin manuscripts prior to the ninth century, Oxford 1934–1971 (Bd. 1–11 + Suppl.). Die Beschreibung des Codex Claromontanus: CLA V, 521 abgekürzt als: *Lowe CLA*

Matzkow, Walter, De vocabulis quibusdam Italae et Vulgatae christianis quaestiones lexicographae, Berlin 1933 (Diss.).

Mercati, Giovanni, On the Non-Greek Origin of the Codex Bezae, in: Journal of Theological Studies 15 (1914) 448–451.

Merk, August, Lucifer von Calaris und seine Vorlagen in der Schrift „Moriendum esse pro Dei Filio", in: Theologische Quartalschrift 94 (1912) 1–32.

Metzger, Bruce Manning, The early versions of the New Testament: their origin, transmission, and limitations, Oxford 1977.

– –, Patristic Evidence and the Textual Criticism of the New Testament, in: New Testament Studies 18 (1971/72) 379–400, wiederabgedruckt in: New Testament Studies, = New Testament Tools and Studies 10, Leiden 1980, 167–188 (hiernach zitiert).

Mohrmann, Christine, Wortform und Wortinhalt, Münchener Theologische Zeitschrift (1956) 99—115, wiederabgedruckt in: Études sur le latin des chrétiens, Band 2: Latin chrétien et médiéval, Rom 1961, 11—34 (hiernach zitiert).

Nellessen, Ernst, Untersuchungen zur altlateinischen Überlieferung des Ersten Thessalonicher-briefes, = Bonner Biblische Beiträge 22, Bonn 1965.

Nestle, Eberhard, Einführung in das Griechische Neue Testament, Göttingen ¹1897.

— —, Einführung in das Griechische Neue Testament, Vierte Auflage völlig umgearbeitet von **Ernst von Dobschütz**, Göttingen 1923. *Nestle Einführung*

Parker, David, A „Dictation Theory" of Codex Bezae, in: Journal of Studies of the New Testament 15 (1982) 97—112.

Rottmanner, O., S. Augustin sur l'auteur de l'épître aux Hébreux, in: Revue Bénédictine 18 (1901) 257—261.

Schäfer, Karl Theodor, Untersuchungen zur Geschichte der lateinischen Übersetzung des Hebräerbriefs, Römische Quartalschrift 23. Supplementheft, Freiburg/Breisgau 1929. *Schäfer Hbr*

— —, Der griechisch-lateinische Text des Galaterbriefes in der Handschriftengruppe DEFG, in: Scientia Sacra. Theologische Festgabe für Kardinal Schulte, Düsseldorf 1934.

— —, Die Überlieferung des altlateinischen Galaterbriefes, Teil 1, in: Personal- und Vorlesungsver-zeichnis der Staatlichen Akademie zu Braunsberg, 1940.

— —, Die altlateinische Bibel, Bonner Akademische Reden 17, Bonn 1957. *Schäfer Rede*

Schildenberger, Johannes, Die altlateinischen Texte des Proverbien-Buches, Teil 1: die alte afrikanische Textgestalt, = Texte und Arbeiten 1. Abteilung, Heft 32—33, Beuron 1941.

Simon, Richard, Histoire Critique du Texte du Nouveau Testament, Rotterdam 1689. *Simon Text*

— —, Histoire critique des principaux commentateurs du nouveau testament, Rotterdam 1693.

Soden, Hans von, Das lateinische Neue Testament in Afrika zur Zeit Cyprians, Texte und Untersuchungen zur Geschichte der altchristlichen Literatur 33, Leipzig 1909. *vSoden Cyprian*

Soden, Hermann von, Die Schriften des Neuen Testaments, 1. Teil: Untersuchungen, 3. Abteilung: Die Textformen, B: Der Apostolos mit Apokalypse, Göttingen ²1911. *vSoden NT*

Souter, Alexander, The Original Home of Codex Claromontanus (D^Paul), in: Journal of Theological Studies 6 (1905) 240—243. *Souter Clar*

— —, A Fragment of an unpublished Latin Text of the Epistle to the Hebrews, with a Brief Exposition, in: Studi e Testi 37, Miscellanea Francesco Ehrle 1, 39—46. 49, Rom 1924. *Souter 81*

Sparks, H.F.D., The Order of the Epistles in P[46], in: Journal of Theological Studies 42 (1941) 180—181.

Suggs, M.J., The Use of Patristic Evidence in the Search for a Primitive New Testament Text, in: New Testament Studies 4 (1957—1958) 139—147.

Sundberg, Albert C. jr., Canon Muratori: A Fourth-Century List, in: Harvard Theological Revue 66 (1973) 1—41.

Thiele, Walter, Untersuchungen zu den altlateinischen Texten der drei Johannesbriefe, Tübingen 1956 (ungedruckte masch. Diss.). *Thiele Diss*

– –, Wortschatzuntersuchungen zu den lateinischen Texten der Johannesbriefe, = Vetus Latina. Aus der Geschichte der lateinischen Bibel 2, Freiburg 1958. *Thiele VL 2*

– –, Die lateinischen Texte des 1. Petrusbriefes, = Vetus Latina. Aus der Geschichte der lateinischen Bibel 5, Freiburg 1965. *Thiele Ptr*

Tinnefeld, Franz Hermann, Untersuchungen zur altlateinischen Überlieferung des 1. Timotheusbriefes, der lateinische Paulustext in den Handschriften DEFG und in den Kommentaren des Ambrosiaster und des Pelagius, = Klassisch-Philologische Studien 26, Wiesbaden 1963.

Vööbus, Arthur, Early Versions of the New Testament, = Papers of the Estonian Theological Society in Exile 6, Stockholm 1954.

Vogels, Heinrich Josef, Untersuchungen zur Geschichte der lateinischen Apokalypseübersetzung, Düsseldorf 1920. *Vogels Apc*

– –, Die Lukaszitate bei Lucifer von Calaris, in: Theologische Quartalschrift 103 (1922) 23–37.

– –, Übersetzungsfarbe als Hilfsmittel zur Erforschung der neutestamentlichen Textgeschichte, in: Revue Bénédictine 40 (1928) 123–129. *Vogels Farbe*

– –, Der Codex Claromontanus der Paulinischen Briefe, in: **G.H. Wood**, Amicitiae corolla. A Volume of Essays presented to J.R. Harris, London 1933; 274–299. *Vogels Harris*

– –, Handbuch der Textkritik des Neuen Testaments, Bonn [2]1955. *Vogels HB*

– –, Das Corpus Paulinum des Ambrosiaster, Bonner Biblische Beiträge 13, Bonn 1957.

Westcott, Brooke Foss, A General Survey of the History of the Canon of the New Testament, Cambridge/London [5]1881.

Wikenhauser, Alfred, Schmid, Josef, Einleitung in das Neue Testament, Freiburg/Basel/Wien [6]1973.

Wordsworth, J., Sanday, W., White, H.J., Portions of the Gospels According to St. Mark and St. Matthew From the Bobbio Ms. (k), Now Numbered G. VII. 15 in the National Library at Turin Together with Other Fragments of the Gospels From Six Mss. in the Libraries of St. Gall, Coire, Milan, and Berne, = Old-Latin Biblical Texts 2, Oxford 1886.

Zahn, Theodor, Geschichte des Neutestamentlichen Kanons, erster Band: Das Neue Testament vor Origenes, erste Hälfte, Erlangen 1888. *Zahn 1,1*

– –, Geschichte des Neutestamentlichen Kanons, erster Band: Das Neue Testament vor Origenes, zweite Hälfte, Erlangen/Leipzig 1889. *Zahn 1,2*

– –, Geschichte des Neutestamentlichen Kanons, zweiter Band: Urkunden und Belege zum ersten und dritten Band, erste Hälfte, Erlangen/Leipzig 1890. *Zahn 2,1*

– –, Grundriß der Geschichte des Neutestamentlichen Kanons, Leipzig [2]1904. *Zahn Grundriß*

– –, Hippolytus der Verfasser des Muratorischen Kanons, Forschungen zur Geschichte des neutestamentlichen Kanons und der altkirchlichen Literatur 10, Leipzig 1929, 58–75. *Zahn Mur*

Ziegler, Leo, Italafragmente der paulinischen Briefe, Marburg 1876.

– –, Die lateinischen Bibelübersetzungen vor Hieronymus und die Itala des Augustinus, München 1879.

Zimmer, Friedrich, Der Galaterbrief im altlateinischen Text als Grundlage für einen textkritischen Apparat der Vetus Latina, = Theologische Studien und Skizzen aus Ostpreußen 1, Königsberg 1887. *Zimmer Gal*

– –, Der Codex Augiensis (F[Paul]), eine Abschrift des Boernerianus (G[Paul]), Zeitschrift für wissenschaftliche Theologie 30 (1887) 76–91.

– –, Ein Blick in die Entwicklungsgeschichte der Itala, in: Theologische Studien und Kritiken (1889) 331–355. *Zimmer Itala*

– –, Rezension von **Corssen, Peter,** Epistularum Paulinarum codices graece et latine scripti Augiensis Boernerianus Claromontanus, Specimen primum und ... specimen alterum, Programme des Gymnasiums Jever, Kiel 1887 und 1889, in: Theologische Literaturzeitung 15 (1890) 59–62. *Zimmer Rezension*

Zimmermann, Heinrich, Untersuchungen zur Geschichte der altlateinischen Überlieferung des Zweiten Korintherbriefes, = Bonner Biblische Beiträge 16, Bonn 1960.

Zuntz, G., The Text of the Epistles, London 1953.

REGISTER DER LATEINISCHEN WIEDERGABEN

INHALTSVERZEICHNIS

VETUS LATINA

AUS DER GESCHICHTE
DER LATEINISCHEN BIBEL

ISSN 0571-9070

Begründet von Bonifatius Fischer
Herausgegeben von Hermann Josef Frede

In Vorbereitung sind

H. Boese, Anonymi Glosa psalmorum ex traditione seniorum. Kritische Edition des vollständigen Psalmenkommentars, den der Herausgeber entdeckt hat

Band I: Einleitung und Psalm 1–100   erscheint 1992
Band II: Psalm 101–150

B. Fischer, Untersuchung und Auswertung des vorgelegten Materials aus den lateinischen Evangelien

H. J. Frede, Neue Fragmente zum altlateinischen Proverbien- und Zwölfprophetenbuch. Das Buch mit diesem vorläufigen Titel soll auch eine Edition der durch den Mailänder Fund vervollständigten pelagianischen Epistula ad quandam matronam Christianam umfassen

R. Gryson, P.-A. Deproost, Der Isaias-Kommentar des Hieronymus. Unter diesem vorläufigen Arbeitstitel wird die umfassend angelegte kritische Edition des Kommentars in 4 Bänden ab 1993 erscheinen

C. P. Hammond Bammel, Der Römerbriefkommentar des Origenes. Kritische Ausgabe der Übersetzung Rufins. Die Edition wird mit zwei weiteren Bänden fortgesetzt. Der vierte Band bietet die erhaltenen griechischen Fragmente

E. Schulz-Flügel, Gregor von Elvira: In Cantica canticorum. Neue kritische Edition des Hoheliedkommentars

E. Schulz-Flügel, Justus von Urgel: In Cantica canticorum. Kritische Edition des Kommentars zum Hohenlied

B. Studer, Reflexionen über theologische Methoden in der Kirche der Kaiserzeit im 4. und 5. Jahrhundert (vorläufiger Titel)

VERLAG HERDER FREIBURG